L'Aventure
de l'espèce humaine

Luca Cavalli-Sforza

L'Aventure de l'espèce humaine

De la génétique des populations à l'évolution culturelle

Traduit de l'italien par Pierre Savy

Ouvrage publié originellement en 2010 par :
© Editrice San Raffaele
Via Olgettina, 60
20132 Milano
Sous le titre : *La Specie prepotente*

Pour la traduction française :
© Odile Jacob, septembre 2011
15, rue Soufflot, 75005 Paris

www.odilejacob.fr

ISBN : 978-2-7381-2689-4

1

La lutte contre un vieux préjugé

Fixisme et créationnisme

Un préjugé ancien, avec lequel les hommes vivent depuis des siècles, voudrait que le monde n'ait jamais changé. Et notre histoire passée est si brève que cette impression s'impose facilement à nous. Dans l'Antiquité, nul ne jugeait qu'il fallait, pour comprendre notre présence sur Terre, remonter des millions d'années en arrière – excepté quelques penseurs comme Pythagore et Hérodote, qui eurent l'intuition d'une vie biologique et géologique antérieure. À en croire Ovide, qui, dans ses *Métamorphoses*, nous a transmis les théories de Pythagore, ce dernier affirmait : « Les choses ne font que varier et changer de forme ; la mer fut changée en terre et les coquilles marines se trouvaient loin de l'océan, les marais furent asséchés et les lieux secs furent changés en marais, les vallées furent creusées par les eaux courantes et les inondations ont balayé les montagnes. »

Au ve siècle avant notre ère, Hérodote, qui avait observé la présence de fossiles de poissons dans les roches d'une colline égyptienne, fit l'hypothèse que, en ce même lieu, bien avant, il avait dû y avoir la mer, et qu'il fut un temps où les eaux de la Méditerranée baignaient les côtes de l'Éthiopie. De profonds changements avaient donc dû intervenir dans le passé : dans l'Antiquité, pourtant, on ne mit jamais en doute l'idée que les vivants avaient été créés une fois pour toutes et qu'ils étaient des entités fondamentalement immuables. La pensée d'Aristote, solidement arrimée à la théorie fixiste, fut adoptée par la théologie médiévale, avec pour conséquence que, jusqu'au siècle des Lumières, il fut impossible de mettre en cause l'idée préconçue selon laquelle, conformément à la description de la Genèse dans la Bible, tout serait apparu par la grâce de la volonté divine.

Si les idées de progrès et d'évolution purent commencer à faire leur chemin seulement au XVIIIe siècle dans la pensée de certains scientifiques, il est vrai que, dès le Ier siècle avant notre ère, Titus Lucretius Carus, dans le *De rerum natura*, formula une idée de changement qui aurait fort bien pu préfigurer le concept de sélection naturelle : « Le temps, en effet, change la nature du monde entier, et toute chose doit passer d'un état à l'autre, et il n'est rien qui demeure semblable à soi-même : tout change, la nature altère chaque chose et la contraint à se transformer. Ainsi une chose pourrit et s'affaiblit avec le temps, et l'autre, jadis négligeable, prend sa place [...]. Il faut que beaucoup de races d'animaux se soient éteintes et n'aient pu enfanter de descendance en se propageant. En effet, celles que l'on voit jouir de l'air vital, c'est l'astuce, la force ou la vitesse qui les ont conservées, en les protégeant depuis le début des temps. »

En dépit de ces manifestations de pensée scientifique et malgré le *panta rheï* d'Héraclite – qui est cependant d'une nature différente –, la doctrine de la fixité absolue des espèces continua de constituer un dogme jusqu'à ce que Jean-Baptiste Lamarck, le botaniste et zoologiste français qui le premier parla clairement d'évolution, affirme que les espèces tirent leur origine d'un organisme primitif, et qu'elles se sont progressivement complexifiées en changeant continûment et en se différenciant les unes des autres. Selon Lamarck, la transformation des espèces advient parce que les enfants héritent les caractères des parents, et que tout changement transmis de génération en génération provoque une évolution.

Avant la Révolution française, son livre *Philosophie zoologique*, publié à Paris en 1809, aurait été inacceptable, même dans le pays des Lumières ; à l'époque où l'on reconnaissait encore aux rois et aux nobles une origine divine, seule une réduction du pouvoir de l'Église put rendre tolérable le phénomène par lequel la biologie s'émancipa du créationnisme, et donna ainsi son fondement à une perspective dynamique de l'histoire naturelle. Quelques années plus tard, avec le congrès de Vienne et la Restauration, l'espace de liberté offert à la pensée et aux sciences se referma : les nobles redevinrent divins, l'Église put rétablir son contrôle sur la manière dont le monde pouvait être pensé. D'évolution, il ne fut plus question pendant encore cinquante ans, jusqu'à la publication du texte fondamental de Charles Darwin, *L'Origine des espèces*, qui prenait appui, précisément, sur les travaux antérieurs de Lamarck.

Le livre ne connut pas moins de six éditions du vivant de l'auteur, mais, comme Darwin l'avait craint, la réaction qu'il déclencha dans les milieux ecclésiastiques fut violente. On publia des caricatures le représentant sous les traits d'un singe, et l'évêque anglican d'Oxford, Samuel Wilberforce, trouva le moyen de demander à Thomas Henry Huxley – un philosophe et biologiste anglais qui, durant une réunion de la Société anglaise pour le progrès de la science, défendait les théories de Darwin – si Darwin « descendait du singe du côté de sa mère ou du côté de son père ». Huxley répondit que, pour sa part, il préférait descendre d'un singe plutôt que d'une personne aussi douée que l'évêque et pourtant incapable d'accueillir la vérité ; il fut le héros du jour.

L'Église catholique a désormais accepté officiellement l'évolution, sur la base d'une affirmation du souverain pontife prononcée en 2008, mais le processus n'a été ni rapide ni indolore. Aujourd'hui encore, en particulier dans le sud des États-Unis, 60 % des Américains s'opposent avec force à l'évolutionnisme et se déclarent créationnistes. Il n'y a pas lieu de s'en étonner, quoiqu'il s'agisse du pays technologiquement le plus avancé du monde : la religion baptiste du sud du pays ne fait que perpétuer la grande tradition protestante qui alla à la conquête de l'Amérique en brandissant l'épée dans une main et la Bible dans l'autre. Périodiquement, on apprend dans les journaux que quelqu'un réclame la suppression des leçons sur le darwinisme dans les livres de biologie en usage dans les écoles. Récemment, d'aucuns ont proposé une forme de créationnisme qu'ils ont appelée l'*Intelligent Design* : quoique inacceptable comme théorie scientifique, elle a été introduite dans l'enseignement de la biologie dans les écoles du sud des États-Unis. Certains parents d'élèves du district de Dover, en Pennsylvanie, ont contesté la légitimité de ce choix et se sont tournés vers la justice. L'affaire a été close en 2005 avec une sentence établissant que le créationnisme n'est pas scientifique et qu'il ne peut donc pas être inclus dans l'enseignement de la biologie, mais qu'il doit, le cas échéant, prendre place dans l'enseignement religieux.

De Galilée à Linné : la pensée scientifique entre liberté et contrainte

Une pensée n'est jamais acceptée de manière définitive, et, même dans le domaine scientifique, la discussion sur certains sujets peut continuer longtemps. En outre, les sciences ne sont pas bien vieilles : la plus ancienne d'entre elles est la mathématique, dont les Grecs déjà étaient de grands connaisseurs. Évoquons le nom d'Archimède, qui était d'ailleurs né à Syracuse. La physique moderne aussi est née en Italie, avec Galileo Galilei, au début du XVIIe siècle. À cette époque, on ne savait pas grand-chose de l'âge de la Terre ; la plupart des hommes pensaient qu'elle était vieille de 6 000 ans, en raison des calculs compliqués effectués en 1650 par l'archevêque anglican James Ussher. En se fondant sur le texte de la Bible, sa chronologie du monde – les *Annales Veteris Testamenti, a prima mundi origine deducti*, connues également comme « Calendrier d'Ussher-Lightfoot », en hommage à un théologien anglais qui, avec moins de fortune, avait tenté la même entreprise quelques années plus tôt – en fixait la naissance exactement au coucher du soleil précédant le dimanche 23 octobre 4004 avant notre ère.

Quand, en 1600, Giordano Bruno fut brûlé sur le bûcher et que, seize ans plus tard, le Saint-Office mit la cosmologie copernicienne à l'index des livres interdits, la vision du monde que se faisait la plupart des hommes était restée inchangée depuis le Moyen Âge : les étoiles étaient fixes, et au-dessus d'elles s'étendait le ciel des bienheureux, tandis que les flammes de l'Enfer crépitaient sous terre. Galilée, soutenu par l'Accademia dei Lincei, décida de se rendre à Rome pour défendre la thèse de Copernic devant le pape Paul V. On lui imposa de renoncer à l'enseignement d'une doctrine que l'Église de la Contre-Réforme considérait comme hérétique, et on l'invita à souscrire à la formule *Acquievit et parere promisit* : ce n'était pas encore une abjuration, mais c'était une déclaration irrévocable d'obéissance.

Galilée promit, mais il poursuivit ses études et, en 1632, il publia le *Dialogue sur les deux grands systèmes du monde*, une réfutation du système ptolémée-aristotélicien en faveur du système copernicien. L'année suivante, il fut jugé pour hérésie et condamné à la prison à vie. Ce n'est que quand il consentit à abjurer, face à la menace de la torture et au bûcher, que sa condamnation fut convertie en une peine d'isolement et qu'il put se retirer dans sa villa d'Arcetri. L'acquittement de l'accusation d'hérésie n'advint qu'en 1992, soit 350 ans après sa mort.

Avec Galilée naquit la physique, qui se répandit rapidement dans le reste de l'Europe – diffusion dont le mérite revient aussi à l'exemple donné par l'Accademia dei Lincei, créée à Rome au début du XVIIe siècle par le prince Federico Cesi, et qu'un certain nombre de savants anglais imita en créant, en 1660, la Royal Society, qui allait devenir la plus importante académie scientifique d'Angleterre et du monde. Constituée pour débattre des idées de Francis Bacon et dans le but de promouvoir la culture mathématique et physique ainsi que l'approche expérimentale, la Royal Society joua un rôle déterminant dans le développement extraordinaire que connut la science au XVIIe siècle en Angleterre.

Bien que la biologie ne fût pas encore née, au XVIIe siècle on trouve aussi l'exemple de Francesco Redi, médecin et grand poète qui, avec ses théories autour de la génération spontanée, contribua à secouer l'édifice aristotélicien de l'immuabilité. Redi a le mérite d'avoir découvert les parasites, c'est-à-dire les organismes végétaux ou animaux vivant aux dépens d'un autre organisme d'une espèce différente. Il étudia en particulier les vers intestinaux, fondant ainsi la branche de la biologie qui s'appelle aujourd'hui l'helminthologie. Pour trouver un exemple de savoir biologique qui soit encore considéré comme important de nos jours, il faut toutefois attendre la fin du XVIIe siècle, quand le naturaliste anglais John Ray, observant l'existence de groupes d'organismes vivants très semblables entre eux mais différents des autres groupes, commença à faire de la systématique, ouvrant de fait la voie à la taxinomie moderne. Ce fut précisément Ray qui introduisit l'usage du mot « espèce » dans l'acception que nous lui donnons encore aujourd'hui, et ce fut lui qui regroupa les espèces en genres, c'est-à-dire en groupes d'organismes présentant une ressemblance particulière. Toutefois, le grand développement de la systématique ne commença pleinement qu'au XVIIIe siècle, avec le botaniste suédois Carl Nilsson Linnaeus, mieux connu sous le nom de Linné, qui commença à organiser les espèces en les regroupant en genres et en regroupant les genres, à leur tour, en une série de catégories supérieures. De cette manière, Linné construisit la première pyramide taxinomique qui, d'individus singuliers, mène à un parent unique. Depuis l'introduction, en 1735, de sa nomenclature binominale, reposant sur le modèle aristotélicien de « genre proche » et de « différence spécifique », on commença à décliner le genre et l'espèce des organismes en latin, selon le nom générique et le nom spécifique, en écrivant le genre avec une majuscule et en italique, et l'espèce avec une minuscule et en italique. En observant cette convention, Linné décrivit les milliers d'espèces qu'il avait déjà réussi à identifier et celles que, au cours de sa vie, il continua d'identifier. Il publia alors d'autres éditions de son *Systema naturae*. La découverte de nouvelles espèces s'est poursuivie au fil des siècles, au point que, aujourd'hui, au moins deux millions d'espèces ont été décrites, et l'on sait que, si l'on considère tous les organismes vivants, il peut y en avoir des dizaines de millions qui ne l'ont pas encore été.

L'espèce Homo sapiens sapiens

On désigne comme un « organisme vivant » tout être capable de produire des descendants qui soient presque identiques les uns aux autres. Nous avons ainsi beaucoup de groupes d'êtres vivants qui présentent une grande ressemblance entre eux, mais qui sont différents d'autres groupes, au point que nous pouvons presque toujours les classer sans aucune hésitation. Le concept d'espèce a connu une amélioration importante quand on a affirmé que toute espèce est constituée d'individus isolés sur le plan de la reproduction des individus appartenant à d'autres espèces, ce qui signifie que les individus d'une espèce ne peuvent se reproduire qu'entre eux. L'idée de l'espèce comme groupe d'animaux interféconds, considérée comme moderne, devait déjà apparaître clairement à Lucrèce quand, toujours dans le *De rerum natura*, il affirmait que « les espèces d'herbes, de cultures et de plantes luxuriantes dont la Terre regorge ne peuvent se reproduire que par des unions entre eux d'individus de la même espèce, mais chacune procède à sa façon, et toutes conservent par loi de nature leurs propres traits distinctifs ».

Certes, il est des espèces qui n'ont pas besoin pour se reproduire d'un compagnon ou d'une compagne, car le sexe n'est pas universellement nécessaire : certains organismes – qui se reproduisent par voie végétative, ou asexuée – peuvent, sans aucun homologue pour les aider, donner naissance à des descendants. Toutefois, on commença à penser aux espèces comme à des organismes capables de reproduire entre eux des individus très semblables à eux-mêmes, lesquels peuvent à leur tour produire d'autres individus semblables à eux. C'est une idée que l'on peut résumer par une formule très simple : appartiennent à une espèce les individus qui sont capables de produire entre eux une descendance féconde.

Nous pouvons affirmer que l'âne et le cheval appartiennent à des espèces différentes parce que, quoiqu'il soit possible de les croiser – et de donner ainsi naissance à des mulets et à des bardots, selon que le père soit l'âne et la mère la jument ou l'inverse –, les hybrides que l'on obtient sont stériles. Pour la même raison, on peut dire que les hommes, étant tous capables de se reproduire entre eux, appartiennent à la même espèce. Il y en eut certains, dans le passé, qui n'appartenaient pas à la même espèce, mais ils sont tous éteints ; parmi les espèces apparues sur Terre il y a beaucoup, beaucoup d'années, une seule a survécu : la nôtre. C'est celle que j'appelle l'« espèce tyrannique » – mais nous aurons l'occasion de parler de cela de manière approfondie plus loin.

Dans sa classification, Linné appelle notre genre *Homo* et notre espèce *sapiens*. À ces deux termes appartenant à la nomenclature linnéenne, on en ajouta plus tard un troisième – un redoublement – pour indiquer la variété ou la sous-espèce, si bien que notre définition exacte est devenue *Homo sapiens sapiens* : précision qui était devenue nécessaire parce que l'opinion s'était répandue, parmi les anthropologues, qu'un homme fossile, dont on avait trouvé les spécimens dans la vallée allemande de Néandertal, était l'ancêtre de l'homme moderne. Par la suite, grâce aux progrès de l'archéologie, il fut possible de comprendre que l'homme de Néandertal, dont on avait retrouvé divers spécimens, s'était éteint depuis 30 000 ans et qu'il appartenait à une espèce différente de la nôtre, appelée *Homo neanderthalensis*. C'est tout récemment que l'on a appris qu'il a dû y avoir un croisement, et peut-être plus qu'un croisement, entre un *sapiens* et un *neanderthalensis* (on ne sait pas encore clairement de quel sexe), parce que l'on trouve dans le patrimoine d'une partie de notre espèce de brefs segments qui se trouvent chez tous les (très rares) Néandertal étudiés à ce jour. Ce que nous savons de l'archéologie fait penser que les croisements doivent avoir eu lieu au Moyen-Orient. En Israël, se trouve une caverne où, il y a environ 100 000 ans, vivaient des hommes anatomiquement modernes, c'est-à-dire *sapiens*, faits comme nous. Pourtant, il y a 60 000 à 80 000 ans, on y trouvait des Néandertal ; et, depuis 60 000 ans, seulement des *sapiens*. Il pourrait y avoir eu une période où les deux espèces étaient présentes en même temps. Quelques individus fertiles peuvent naître du croisement d'espèces animales différentes, très proches. Nous reviendrons sur ce sujet, pour donner d'autres précisions.

L'évolution des espèces : une révolution

À la fin du XVIIIe siècle, en dépit du danger que présentait une confrontation avec l'Église (qui maintenait toute son emprise, malgré l'ouverture par les Lumières de nouveaux espaces de liberté de pensée), deux autres savants importants commencèrent à réfléchir à l'évolution. Le premier est Érasmus Darwin, médecin, poète et naturaliste, ainsi que grand-père de Charles Darwin, sur lequel il n'exerça toutefois que peu d'influence ; le deuxième est Jean-Baptiste Lamarck, très grand savant, systématicien en botanique et en entomologie. Dans son livre *Philosophie zoologique*, publié en 1809, Lamarck défendait la théorie selon laquelle les organismes étaient le résultat d'un processus progressif de modification sous les pressions du milieu ; pour lui, l'évolution était un phénomène régulier et constant. Il fut le premier à affirmer de manière catégorique que toutes les espèces évoluent, et qu'elles évoluent parce qu'il y a des changements héréditaires, qui sont visibles si l'on suit des règles bien précises que l'on peut résumer ainsi : si le changement est vraiment héréditaire, alors l'enfant portera le nouveau caractère et le transmettra à ses propres descendants. En ce cas, il est inévitable qu'il y ait évolution. Le milieu culturel français, comme nous l'avons déjà vu, avait été préparé par la Révolution – la place du divin avait été profondément remise en cause, les rois n'étaient plus divins, et les nobles n'étaient pas immortels sinon, éventuellement, par leur âme, comme tous les autres hommes –, et les idées de Lamarck, bien qu'elles n'aient pas trouvé un grand accord, furent considérées avec beaucoup de sérieux. Pourtant, après 1814, avec le congrès de Vienne et la Restauration, on ne parla plus d'évolution. Lamarck tomba dans l'oubli jusqu'à l'avènement de Charles Darwin, que l'on peut en somme considérer comme son successeur.

Il se trouve que Charles Darwin naquit à Shrewsbury, en Angleterre, en 1809, l'année où Lamarck fit imprimer sa *Philosophie zoologique*, le livre qui généralisait l'évolution. Devenu biologiste, zoologue et botaniste, Darwin publia à 50 ans passés le travail où il théorisait le fait que tous les primates descendent d'un ancêtre commun ; il avait passé les vingt années qui lui avaient été nécessaires pour rédiger ses recherches dans la réserve qu'il s'imposait, conscient qu'il était que sa pensée allait entrer en conflit avec une compréhension littérale du texte biblique, et allait donc subvertir les idées du temps. Il ne se décida à faire un grand pas que quand il reçut la lettre d'un jeune naturaliste qui travaillait à Bornéo, un certain Alfred Russel Wallace qui, bien qu'il se trouvât à un stade plus embryonnaire de la recherche, avait formulé la même idée de sélection naturelle.

Craignant que, après tant d'années de travail, un jeune homme brillant arrivant de nulle part ne s'attribue le mérite de ses découvertes, Darwin se décida à franchir le pas : il publia *L'Origine des espèces*, qui connut aussitôt un succès retentissant. Nous reparlerons de tout cela ; pour l'heure, contentons-nous de dire qu'aussi bien Lamarck que Darwin affirmèrent que les changements que l'on hérite déterminent l'évolution. Il manquait cependant un « théorème fondamental » qui dise la direction que prendra l'évolution – et c'est cette force qui rend l'évolution inévitable : ce fut le grand mérite de Darwin de le formuler. Il faut que le changement que l'on hérite, c'est-à-dire qui est transmis des parents aux enfants, leur donne un avantage démographique : que les enfants qui portent le caractère héréditaire nouveau vivent plus longtemps, ou soient plus féconds que ceux qui ne l'ont pas, ou les deux choses ensemble. C'est probablement ce que nous appelons « sélection naturelle », qui rend inévitable que le caractère s'étende dans l'espace et dans le temps.

Lamarck avait aussi commis l'erreur de penser que tout ce que l'on transmet aux enfants par l'enseignement est ensuite transmis des enfants aux petits-enfants en ligne généalogique : il croyait à l'hérédité des caractères acquis. Darwin, plus précis, se rendit compte que tout ce qui est enseigné ne devient pas héréditaire. La chose étrange est que, bien plus tard, on démontra que Lamarck n'avait pas complètement tort, du moins concernant un certain type de caractères, parce que ce qui distingue profondément l'homme des animaux est justement l'importance de son évolution culturelle. Les lionceaux ou les petits du chimpanzé apprennent à chasser de la lionne ou à s'épouiller de la maman chimpanzé, mais, s'ils sont élevés dans un zoo sans mère, ils ne développent pas ces comportements, qui, une fois appris, ne deviennent pas héréditaires pour la simple raison qu'ils ne sont pas transmissibles en l'absence d'éducation.

Darwin affirma au contraire que, quand on observe des changements vraiment héréditaires, et que ces changements créent une augmentation de la capacité de vivre, de prospérer et de se reproduire, les caractères qui possèdent cette qualité déterminée deviennent toujours plus fréquents dans les générations suivantes et, à la fin, se trouvent chez tous les individus de l'espèce. C'est exactement cela, la sélection naturelle : la survie préférentielle du plus adapté.

Pour poursuivre notre discours sans risquer d'être mal compris, nous jugeons utile de signaler dès à présent que ce qui est enseigné par les parents aux enfants, de génération en génération, n'est pas une hérédité de caractères acquis, parce que ces derniers, en l'absence d'éducation, disparaissent. Au contraire, les caractères hérités à travers des mécanismes biologiques font partie du bagage héréditaire véritable : ils sont toujours susceptibles de connaître la sélection naturelle et ils changent au fil des générations.

La question de savoir si des caractères acquis de diverses manières durant la vie peuvent devenir vraiment héréditaires – comme le croyait Lamarck et comme Darwin ne l'excluait pas tout à fait – a donné naissance à de nombreuses tentatives de démonstration expérimentale. Une expérience fut tentée à plusieurs reprises : on a élevé des rats auxquels on avait coupé la queue pour voir si, après un certain nombre de générations, il en naîtrait qui seraient dépourvus de queue. Les expériences de ce genre se sont toujours révélées négatives ; la génétique nous dit pourquoi.

Charles Darwin

Considérons de plus près l'existence et le parcours scientifique de Charles Darwin. Le garçon, qui avait entrepris sans grand profit des études de médecine à Édimbourg, fut inscrit par son père – qui aurait voulu qu'il devienne avocat ou prêtre – au Christ's College de Cambridge, où il étudia la théologie. Ses inclinations scientifiques apparurent relativement tard. Sous l'influence de grandes personnalités scientifiques de l'époque, il se passionna pour l'histoire naturelle, la zoologie et la botanique. Ce qui lui plaisait le plus – c'est là un trait commun à tous les systématiciens qui commencèrent à penser l'évolution –, c'était la classification hiérarchique des animaux et des plantes, dans l'espoir d'identifier de nouvelles espèces. Peut-être se ressentait-il sur ce point de l'influence de son grand-père Érasmus ; au fond, il avait été lui aussi un précurseur.

L'été après avoir obtenu son diplôme, en 1831, Charles accompagna Adam Sedgwick – chanoine de la cathédrale de Norwich et l'un des fondateurs de la géologie moderne – dans une excursion dans le nord du pays de Galles, dans le but d'analyser les couches fossiles de la région. C'est ainsi qu'il commença à s'intéresser à la géologie. Ce fut une pièce très importante dans la machinerie complexe qui le porta à concevoir ses théories : les réflexions sur les fossiles faites par Hérodote plus de deux mille ans plus tôt, bien qu'elles n'aient guère eu d'écho, suggéraient en effet l'hypothèse selon laquelle la Terre était bien plus vieille que les 6 000 ans d'âge calculés par le calendrier d'Ussher-Lightfoot.

Revenu du pays de Galles, le jeune Darwin trouva une lettre du gouvernement britannique : le botaniste et entomologiste John Stevens Henslow avait signalé son étudiant préféré à Robert Fitzroy, capitaine du brigantin le *Beagle*, pour une expédition cartographique de cinq ans autour des côtes de l'Amérique du Sud, qui aurait ensuite touché l'Australie, la Nouvelle-Zélande et le sud de l'Afrique. Bien que les buts de la navigation fussent surtout industriels et militaires, et que l'équipage comptât déjà un naturaliste officiel, le capitaine avait besoin d'un savant pour recueillir des données sur la flore et la faune locales. Le père de Darwin, qui comme tous les pères de l'époque devait être plutôt tyrannique, lui interdit de poursuivre ce qu'il regardait comme un « projet incohérent » ; il ne consentit à lui donner son assentiment qu'après l'intercession expresse d'un oncle.

Ce voyage, où Darwin eut la possibilité de faire des observations importantes en matière de science naturelle, d'anthropologie et d'ethnologie, permit d'ébaucher la réflexion autour de ce qui devint plus tard sa théorie de l'évolution. Aux Galápagos, en analysant des espèces d'échantillons animaux et végétaux qu'il avait récoltés, il remarqua en effet des ressemblances entre des fossiles et des espèces encore vivantes, dans la même aire géographique. L'archipel présentait une situation très hétérogène, au point que des pinsons appartenant à la même espèce avaient adapté la forme de leur bec pour pouvoir attraper les insectes présents sur des îles différentes ; aujourd'hui que les îles sont assez éloignées les unes des autres, un pinson parcourt difficilement la distance séparant une île d'une autre. Ce fut cette différence qui conduisit Darwin à penser qu'une adaptation au milieu local de chaque île avait eu lieu, et que cette adaptation avait entraîné une évolution. En réalité, la question est plus compliquée, parce que, à une sélection naturelle diversifiée, s'ajoute le fait que l'isolement aide la différenciation ; dans l'archipel des Galápagos, qui est constitué d'îles très éloignées les unes des autres, on jouit d'un isolement très grand et de différences de milieu qui créent pour les différents animaux une diversité des conditions de sélection naturelle. Certes, cette donnée facilita l'observation de différences notables, parce qu'une espèce déterminée, même s'agissant de grands animaux, se trouvait seulement sur une île et non sur les autres.

Revenu en Angleterre en 1836 et installé à Londres, Darwin se consacra à la rédaction et à l'étude des notes qu'il avait recueillies au cours du voyage, et il se convainquit toujours davantage de l'existence de l'évolution – il n'utilisait pas ce mot, mais plutôt celui de « transmutation ». Il confrontait ses recherches avec les arguments et les études développés par d'autres scientifiques – notamment, comme il l'indique lui-même, l'*Essai sur le principe de population* de l'économiste anglais Thomas Robert Malthus et les *Principes de géologie* de Charles Lyell. Darwin approfondit ainsi ses réflexions sur le fait que, confrontés à un manque de ressources, les animaux et les plantes meurent avant que ne s'accomplisse leur cycle de vie naturel, et que seuls certains individus parviennent à tirer profit des ressources au point d'arriver à se reproduire. Il se demanda quelles capacités et quelles aptitudes doivent posséder les plantes et les animaux qui survivent comme espèces : il commença, pas à pas, avec sérieux et prudence, à développer la théorie à laquelle il donna le nom d'« adaptation au milieu ». Il eut alors une intuition extraordinaire : si cette adaptation est héritée, la proportion de ceux qui survivent quand les ressources sont rares est appelée à changer dans les générations suivantes, et la population devient donc, en moyenne, plus adaptée à la survie.

La mesure de la sélection naturelle – en anglais la *fitness*, de *fit*, « adapté » – est donc donnée par la capacité d'adaptation ; on la calcule, pour un caractère donné à l'intérieur d'une population, sur la base de la probabilité de survie des individus qui possèdent ce caractère par comparaison avec le reste de la population, et sur la base du nombre d'enfants qu'ils ont par rapport au reste de l'échantillon considéré.

L'augmentation de la *fitness* moyenne dépend seulement de l'augmentation des possibilités de survie et de la fertilité. Il peut y avoir des facteurs d'évolution plus compliqués, mais, en substance, la sélection naturelle n'est rien d'autre que ceci : la différence de probabilité de survie de l'individu et la différence de fertilité de l'individu.

Pour Darwin, qui était profondément religieux et qui avait grandi dans la croyance au récit biblique de la Création, l'évidence que ses études faisaient apparaître constituait une cause de crise profonde : sa recherche, qui allait contre ce qu'il avait pratiqué et pensé, le contraignait en substance à abandonner une religion qui imposait de croire que rien ne change, et en plus les résultats auxquels il était arrivé blessaient les personnes qui lui étaient le plus chères, à commencer par son maître, John Stevens Henslow, et, surtout, son épouse, Emma, avec laquelle il s'était installé dans le Kent en 1842.

L'idée d'évolution, qui, à en croire les notes qu'il a laissées, avait pris forme en 1835, ne fut rendue publique qu'en 1859. Ainsi que nous l'avons déjà dit, c'était après que Darwin eut reçu une lettre où le jeune naturaliste anglais Alfred Russel Wallace l'informait qu'il avait pensé qu'existait une force – lui non plus ne l'appelait pas « sélection naturelle » – capable de pousser les organismes à évoluer. Sérieusement préoccupé, Darwin consulta ses amis les plus fidèles – parmi lesquels on trouvait Thomas Henry Huxley, un jeune membre de la Royal Society déjà connu comme anatomiste comparé, le géologue Charles Lyell et le botaniste Joseph Hooker –, qui le convainquirent de présenter ses idées devant la Linnean Society, la société scientifique la plus importante d'Angleterre. Darwin accepta, et il fut convenu que les deux textes seraient imprimés ; Wallace avait écrit un article de vingt pages, qui était déjà prêt pour la publication, tandis que Darwin dut préparer un extrait du livre qu'il avait désormais presque fini d'écrire. Les deux travaux furent publiés trois mois plus tard, dans la revue de la Société.

Après la publication d'un texte tiré de son livre, il était clair que le temps était venu de faire imprimer l'œuvre tout entière. Darwin se hâta de la terminer, et il n'y parvint qu'au prix de beaucoup d'efforts, en raison de sa santé fragile et des deuils successifs qui frappaient sa famille. Les 1 250 exemplaires du premier tirage de *L'Origine des espèces* furent vendus en une seule journée, et les 1 000 suivants en une semaine. Le succès fut fracassant : le scandale et les polémiques que suscita le livre ne le furent pas moins. L'Église anglicane, peut-être encore plus attachée à la Bible que l'Église catholique, réagit violemment. L'attaque lancée par l'évêque anglican d'Oxford, sur le fait que Darwin descendait des singes, demeura presque légendaire. Huxley, qui avait défendu Darwin, fut depuis lors surnommé « le bouledogue de Darwin ».

Darwin reconnut toujours les mérites de Wallace, et Wallace ne mit jamais en doute la supériorité de Darwin, si bien qu'une amitié durable put s'établir entre les deux hommes. Après la publication du livre, Darwin mena une vie très retirée ; les polémiques lui étaient désagréables, et sa santé demeurait incertaine, peut-être à cause d'une maladie contractée lors du voyage à bord du *Beagle*. Dans la solitude du Kent, Darwin recommença à étudier la botanique et la zoologie. Il écrivit *De la fécondation des orchidées par les insectes* et *De la variation des animaux et des plantes à l'état domestique*, où il examinait de nombreuses preuves de sa théorie qui ne figuraient pas dans *L'Origine* ; plus tard, il rédigea *La Filiation de l'homme et la sélection liée au sexe* et la *Formation de la terre végétale par l'action des vers*. Il s'éteignit en 1882, à l'âge de 73 ans.

2

L'hérédité expliquée inutilement aux gens distraits et présomptueux

La transmission des caractères

J'enseigne la génétique depuis de nombreuses années, et c'est donc avec un certain embarras que j'avoue que, quand j'étais en première année de médecine et que je préparais les fascicules du cours de biologie qui expliquait les lois de l'hérédité – celles-là mêmes dont j'entends parler dans ce chapitre –, je les trouvais tellement ennuyeuses que je demandai à un ami de bien vouloir s'occuper de cette partie. À ma décharge, il faut dire que, dans la plupart des livres, les lois de l'hérédité étaient expliquées de façon très plate, tandis qu'elles sont un vrai chef-d'œuvre d'ingéniosité qui, si on le présente de manière convenable, donne une image très forte de l'œuvre d'un grand scientifique.

Gregor Mendel, un abbé tchèque né un peu plus d'une dizaine d'années après Darwin, eut l'idée d'étudier la transmission des caractères dans les plantes. Il fit des expériences pendant dix ans, puis il écrivit un magnifique article pour expliquer ses lois : publié en 1865, ce travail n'eut, hélas, aucun succès.

Mendel était fils de paysans et savait comment croiser des plantes : ainsi, grâce à un travail expérimental mené sur des milliers et des milliers de pois, il était arrivé à comprendre le mécanisme de l'hérédité. Toutefois, quand ses idées parvinrent aux oreilles de Karl Wilhelm Nägeli, un grand biologiste suisse qui jouissait à l'époque d'une réputation extraordinaire dans toute l'Europe, celui-ci décida que le travail de Mendel était complètement faux ; la chose étrange est que, peu après, Nägeli découvrit les chromosomes, où se trouvent les caractères héréditaires, mais qu'il n'imagina jamais ni leur fonction ni leur importance.

Pendant de nombreuses années, il n'y eut personne pour recueillir l'héritage intellectuel de Mendel. Ce n'est qu'au début du XXe siècle que trois scientifiques européens – qui agissaient isolément les uns des autres et qui ignoraient en partie l'enseignement de l'abbé tchèque – répétèrent ces expériences et parvinrent aux mêmes conclusions. Ainsi commença la génétique, parce que l'on put enfin étudier le comportement des caractères héréditaires.

Gregor Mendel : un frère dans un jardin

Jusqu'alors, personne n'avait vraiment compris ce que signifiait l'hérédité, et l'on n'avait pas imaginé que la compréhension des lois de Mendel supposait de se conformer à des critères simples et fondamentaux. Nous ne pouvons nous permettre d'étudier ici en détail les résultats auxquels est arrivé Mendel – on perdrait trop de lecteurs –, mais il est très intéressant de voir comment il fit face aux difficultés. C'était un expérimentateur de haute volée ; si le monde mit trente-cinq ans à comprendre l'importance de son travail, c'est aussi parce qu'il fit ce que, aujourd'hui encore, la plupart des biologistes ne savent pas faire, à savoir penser en termes d'hypothèses précises, qui permettent de produire des résultats attendus, semblables à ceux qui ont été préalablement observés, et imaginer d'autres expériences qui permettent de contrôler la validité de ces hypothèses, exactement comme le font les physiciens ou les chimistes.

Mendel était surtout un biologiste expérimentateur. Voici l'histoire des étapes de sa pensée, à travers les expériences qu'il imagina et qu'il réalisa, en le suivant à partir de ses premiers pas.

Pour étudier l'hérédité, il prit une plante facile à cultiver : le petit pois. Il décida d'observer la descendance de croisements entre lignées pures, ou races – chacune étant formée d'individus extrêmement semblables entre eux par les caractères que l'on étudie, mais avec de claires différences entre lignées différentes ; il entendait les utiliser pour ses expérimentations, par exemple en croisant des lignées de pois lisses et des lignées de pois rugueux, ou des plantes à tiges de hauteur normale et des plantes naines : au total, sept caractères choisis pour la grande capacité qu'ils offraient de distinguer les deux formes de chaque caractère.

Une intuition heureuse

Ces choix délibérés se révélèrent très utiles. La hauteur de la tige d'une plante est mesurable, et les plantes les plus communes varient un peu en hauteur ; mais, en comparant des plantes normales qui ont une haute tige avec les plantes d'une souche à tige naine, la distinction entre les deux types apparaît très clairement. Jamais il n'aurait pu créer la théorie de l'hérédité, que l'on qualifie aujourd'hui de mendélienne, s'il n'avait eu recours à ces différences claires et simples.

Au contraire, Francis Galton, grand scientifique anglais et cousin de Darwin, se proposa d'étudier l'hérédité de caractères mesurables, comme les caractères anthropométriques (taille, poids, diamètre du crâne, etc.), qui montrent une variation continue d'un individu à l'autre ; pour ce faire, il développa des méthodes utiles, mais ses résultats durent attendre un demi-siècle pour être interprétables en termes théoriques généraux.

Revenons à Mendel et à ses expériences, et appelons P1 et P2 les deux lignées parentales que l'on croise entre elles. Mendel lui-même appela F1 les enfants de première génération nés du croisement P1 × P2. Toutes les plantes F1 du croisement entre plantes hautes et plantes naines étaient de hauteur normale et, en moyenne, égale à la hauteur de P1. Les six autres caractères donnèrent le même résultat : les enfants étaient tous égaux à l'un des deux types parentaux. Par exemple, la distribution des fleurs et des gousses pouvait être localisée le long de toute la tige (axiale) ou seulement à l'extrémité de la tige (apicale), tandis que dans la F1 la distribution était axiale. L'albumen des graines nées du croisement entre plantes à graines jaunes et plantes à graines vertes était jaune. Le type parental auxquels ressemblaient les individus F1 fut appelé par Mendel « type dominant » ; nous l'appelons P1.

La première loi de Mendel

Mendel ne présenta pas les conclusions de ses expériences sous la forme de lois distinctes ; cette présentation par lois est un petit artifice que les biologistes se permettent, par simplicité (pas d'inquiétude : il n'y a que trois lois, que les généticiens numérotent pour les enseigner ; et sur la troisième loi, la plus complexe, nous resterons mesurés dans nos explications).

La première loi dit que, « dans les croisements entre deux lignées pures que distingue clairement un caractère étudié, les hybrides de première génération (c'est-à-dire les individus F1) sont égaux entre eux pour ce caractère ». On peut ajouter une règle qui est valide au moins pour les caractères étudiés par Mendel et qui est très souvent valide, mais qui n'est pas générale : l'hybride est égal à l'un des deux parents, que Mendel a appelé le type *dominant*. Ainsi, dans la génération F1, une des deux formes des caractères étudiés, celle des parents P2, disparaît. Pourquoi ? En réalité, Mendel se rendit compte rapidement que le caractère absent dans F1 n'avait pas disparu, et qu'il réapparaissait dans les hybrides de deuxième génération, ou F2. Aussi Mendel qualifia-t-il de *récessif* (du verbe latin *recedere*, « se retirer ») le caractère des parents P2 qui avait disparu dans F1.

Et la découverte importante que put faire Mendel, que les études universitaires avaient rendu sensible à la dimension quantitative des réalités observées, fut que les individus de deuxième génération, F2, font apparaître de nouveau les caractères qui étaient présents chez le parent P2, mais qui semblaient avoir disparu dans F1. En outre (et, ainsi que la poursuite des recherches l'a démontré, cela a constitué un fait très important), dans F2 le caractère P2 réapparaît, avec une régularité numérique impressionnante : en minorité, mais en proportions numériques fixes, quel que soit le caractère étudié. Nous verrons plus loin ces proportions, qui constituent le corps de la deuxième loi. La théorie mendélienne en explique très clairement la raison, et elle fait bien d'autres prévisions sur ce que l'on peut attendre des croisements.

À la différence de presque tous les biologistes du temps – et d'une bonne partie de ceux d'aujourd'hui –, Mendel avait des notions de calcul des probabilités, parce qu'il avait bien étudié non seulement le peu de biologie que l'on savait alors, mais aussi les mathématiques et la physique. Il savait donc que, pour étudier les fréquences avec lesquelles les caractères apparaissaient chez les enfants des lignées qu'il croisait, il était important de recueillir beaucoup de données, c'est-à-dire beaucoup de petits pois ou beaucoup de plantes. Cela signifiait aussi des centaines, voire des milliers de spécimens pour tout croisement. Il faudrait commencer à enseigner la base du calcul des probabilités dans l'enseignement secondaire : c'est une lacune incompréhensible[1].

Mais qui était Mendel ?

Faisons plus ample connaissance avec cet homme né en 1822 près de Brno, dans la Silésie morave, qui faisait alors partie de l'Empire austro-hongrois. Le père, pour ne pas briser la propriété – transmise, comme cela se faisait d'ordinaire, à l'aîné –, avait encouragé son deuxième fils à devenir prêtre. Johann Gregor Mendel devint ainsi frère augustin dans le couvent Saint-Thomas, à Brno ; il avait déjà travaillé comme jardinier et peut-être aurait-il été destiné à cette voie si l'abbé Cyrill Napp n'avait pas remarqué son intelligence et ne l'avait pas encouragé à poursuivre ses études. Cinq années durant, le jeune homme put se consacrer exclusivement à la prière et aux matières qu'il préférait : les mathématiques, la botanique et la météorologie. Enfin, il passa l'examen pour devenir professeur. Après plusieurs échecs, il commença à enseigner dans l'école d'un village voisin. Johann, qui avait pris le nom de Gregor lors de l'ordination sacerdotale, avait presque trente ans quand l'abbé Napp lui permit de s'inscrire à l'Université impériale de Vienne. Il s'agissait d'une des universités les plus prestigieuses d'Europe. Des physiciens de premier ordre y enseignaient – comme Christian Doppler, que nous connaissons aujourd'hui par le phénomène qui prit son nom, l'« effet Doppler » – ; il put y approfondir

1. Sans être complètement absent, l'enseignement des probabilités est peu présent dans l'enseignement secondaire italien. [Note du traducteur.]

ses études de mathématiques et de calcul des probabilités, extrêmement important en génétique.

À Vienne, Mendel devint assistant à l'Institut de physique et connut deux savants qui furent déterminants pour ses expériences sur les pois : Andreas von Ettingshausen, qui lui expliqua le calcul combinatoire, et Franz Unger, qui lui fit part des techniques les plus avancées de pollinisation artificielle.

Trois ans plus tard, le frère retourna à Brno comme professeur de mathématiques et de biologie, et l'abbé lui permit de construire une serre dans le jardin du couvent, pour qu'il puisse se consacrer, durant son temps libre, à ses expériences sur l'hérédité des caractères des végétaux. À cette date, on avait déjà la notion que les hybrides peuvent présenter des avantages sur les non-hybrides, et l'on savait aussi créer ce que l'on appelle des lignées pures, en procédant pendant de nombreuses générations à des unions entre frère et sœur. Les lignées pures sont constituées d'individus qui sont clairement semblables par tous les caractères visibles, et les caractères visibles sont les caractères qui différencient deux lignées pures, pourvu qu'il soit toujours possible de distinguer à quelle lignée pure appartient un individu.

Mendel dut aussi s'assurer que les hybrides entre les deux lignées pures, comme les individus F1, présentaient une homogénéité suffisante. Les hybrides de première génération comme F1 sont parfois plus vigoureux que les lignées parentales ; cela arrive pour des caractères comme la taille et d'autres caractères complexes ; nous savons aujourd'hui que d'habitude ces caractères sont dus à la somme des effets de beaucoup de facteurs héréditaires. Mais quand on choisit des caractères pour lesquels la diversité entre parents est marquée, comme dans le cas de la taille normale et de la taille naine, la variation entre individus génétiquement séparés comme ceux de P1, P2 et aussi F1 ne crée pas de problèmes de reconnaissance des types d'un caractère. Au siècle passé, on a réalisé des études statistiques sur la fiabilité des résultats de Mendel, pour vérifier la fréquence des erreurs dans l'assignation d'individus isolés à une des deux lignées pures d'origine. Certains caractères présentent des erreurs de quelques pour cent, mais jamais au point de nous faire douter des conclusions, qui ont été vérifiées dans de très nombreuses expériences ; en particulier, les types de taille ne donnent aucune erreur.

Comment on fait des croisements entre petits pois (si vraiment ce détail vous intéresse)

Dans le cas des petits pois, quand Mendel voulait croiser deux plantes, il était confronté au problème suivant : dans la même fleur sont présents à la fois des organes masculins et des organes féminins ; ils mûrissent ensemble, si bien qu'une fleur peut se féconder elle-même (autofécondation). Toutefois, si Mendel voulait féconder une plante utilisée comme femelle avec le pollen de la plante qu'il voulait utiliser comme mâle, l'insémination pouvait être opérée en brossant le pollen sur les organes féminins de la fleur utilisée comme femelle ; mais il était nécessaire de protéger la future fleur femelle à la fois du pollen qu'elle produisait elle-même et du pollen qui pouvait venir de l'extérieur. Le problème pouvait être résolu en émasculant les fleurs qu'on voulait utiliser comme femelles quand leurs organes sexuels n'étaient pas encore mûrs, et en protégeant avec un bouchon de papier les organes féminins de la fleur émasculée.

L'un des grands soucis de Mendel était un vers qui montait parfois sur les plantes de petits pois et qui pouvait même passer sous les bouchons : comment être certain qu'il n'avait pas touché d'autres fleurs et qu'il ne transportait pas le pollen d'une fleur à l'autre, invalidant ainsi les résultats de l'expérience ? Le *Bruchus pisi*, si amusant qu'il puisse sembler, apparaît dans les textes de Mendel : à cause de lui, il dut affronter de dures attaques, sur lesquelles nous reviendrons d'ici peu.

Différences entre les sexes

Les premiers croisements faits par Mendel entre deux lignées pures furent réalisés en essayant d'utiliser des mâles et des femelles de deux types, par exemple pour les mâles des plantes hautes et pour les femelles des plantes naines, et *vice versa*, pour les femelles des plantes hautes et pour les mâles des plantes naines. Les résultats furent identiques.

Il est intéressant de noter que le deuxième grand pas en avant dans l'histoire de la génétique fut réalisé après 1910 à New York, avec des croisements de moucherons des fruits (*Drosophila*) : cela venait du fait que ces deux types de croisements donnaient des résultats clairement différents.

Cela permit de démontrer que les caractères héréditaires sont transmis par les chromosomes (de petits corps dont nous parlerons plus bas), parce que, chez la *Drosophila*, il existe des différences visibles entre deux chromosomes qui déterminent le sexe ; chez ce moucheron, par exemple, il y a une différence de couleur de l'œil, qui peut être rouge ou blanc.

L'hérédité différente entre les deux croisements de rouge et de blanc s'explique très bien si l'on considère que le facteur responsable de la différence se trouve dans le chromosome appelé X, dont les femelles possèdent deux exemplaires, si bien qu'elles sont XX, tandis que les mâles n'en ont qu'un, associé à un petit chromosome appelé Y, si bien que les mâles sont XY.

Les mâles sont donc génétiquement un peu différents des femelles, ils ont quelque chose de plus (très peu, mais assez pour créer les différences entre les organes sexuels) ; mais les femmes, qui ont deux chromosomes X au lieu d'un, présentent une richesse supérieure.

Les éternelles discussions et les éternelles injustices liées aux différences entre les sexes naissent précisément ici.

La deuxième loi de Mendel

La deuxième loi de Mendel concerne les proportions des types génétiques que l'on observe dans le croisement entre deux individus de F1, c'est-à-dire entre les enfants d'un croisement entre les deux lignées parentales, ou entre les enfants d'une autofécondation d'individus F1 (quand un croisement d'un individu avec lui-même est possible, comme c'est le cas pour beaucoup de plantes). Le produit du croisement entre deux F1 (autofécondation d'un individu F1) est appelé F2 et, si l'on continue de faire des croisements entre les enfants des enfants, c'est-à-dire entre F2 et F2 (ou plus simplement par autofécondation d'individus F2), leur produit, la troisième génération prise en considération, s'appellera F3, et ainsi de suite.

Dans les termes les plus simples possible, disons que les individus F2 étaient régulièrement de deux types, en proportions constantes pour tous les caractères étudiés. Le type le plus fréquent est fait d'individus comme les parents F1 ou le grand-père P1 (plantes hautes dans le croisement normal avec une naine) et un type moins fréquent qui s'était caché dans F1 (plantes naines dans ce même croisement).

Les proportions des deux types, qui se répétèrent pour les divers caractères étudiés par Mendel, étaient les suivantes : 75 % des plantes étaient semblables aux parents F1 ou au grand-père P1, tandis que les 25 % restants étaient comme le grand-père P2, c'est-à-dire comme le type qui s'était caché dans F1 et qui était à présent réapparu.

Nous avons l'habitude d'utiliser des pourcentages, et peut-être certains ont-ils une préférence pour eux. Toutefois, Mendel a introduit des nombres entiers : en ce cas, cela donne 3/1, qui correspond exactement au rapport 75/25. La deuxième loi de Mendel est d'habitude énoncée ainsi : dans F2, les deux types P1 et P2 sont dans un rapport de 3/1. Pourquoi ? Pour le comprendre, Mendel poursuivit son travail sur les générations (avec les petits pois, passer de F2 à F3 signifie attendre l'année suivante – voilà qui lui laissa beaucoup de temps pour prier comme un bon frère augustin, et aussi pour penser).

En autofécondant les individus F2, il trouva que ceux qui avaient le type dominant dans F3 appartenaient à deux catégories : P1 et F1, que l'on ne peut pas distinguer de l'extérieur, mais que l'on peut distinguer seulement sur la base de leurs descendants : les deux types, dominant et P2, étaient dans une proportion de 3/1. Les types P2 étaient toujours, comme il s'y attendait, identiques à la lignée pure.

Un peu de symbolisme peut être utile ici. Nous devons distinguer phénotype et génotype : le *phénotype* est l'aspect extérieur, le *génotype* est la constitution génétique. Pour le phénotype, quand il n'y en a que deux comme c'est le cas dans les expériences de Mendel, une seule lettre peut suffire : par exemple, nous appellerons les plantes hautes *A* et les plantes naines *a*. Pour le génotype, en revanche, il faut deux lettres pour indiquer l'apport du patrimoine paternel et celui du patrimoine maternel, par exemple *AA*, *Aa*, *aa*. Le génotype des deux lignées pures P1 et P2 doit être fait d'un seul type de lettre : nous appelons donc P1 *AA* et P2 *aa*.

Or les cellules sexuelles ou gamétiques – spermatozoïdes et ovules –, qui forment un nouvel individu, doivent être très spéciales : elles ne peuvent porter chacune deux facteurs, mais un seul, et le choix possible est : pour P1 mâle ou femelle seulement *A*, pour P2 seulement *a*. Aussi le croisement entre P1 et P2 ne peut-il donner naissance dans F1 qu'à des individus *Aa*.

Nous savons que, sur le plan phénotypique, il n'y a habituellement pas de différence entre P1 et F1 : visiblement, chez les petits pois il suffit d'un *A* pour faire croître une plante de hauteur normale, et en avoir deux n'augmente pas la taille de la plante.

Un croisement particulier

La domination n'est pas toujours complète : par exemple, chez d'autres plantes, des croisements entre deux lignées pures dont l'une a des fleurs rouges et l'autre des fleurs blanches donnent des fleurs de couleur intermédiaire, c'est-à-dire roses. On peut donc distinguer P1 et F1 : c'est très utile, parce que, s'il n'y a pas domination, tout est plus simple. Dans ce croisement, nous observons que, dans les F2 produits par un croisement F1 (rose) × F1 (rose), nous retrouvons les trois types, P1, F1 et P2, par ordre de couleur : rouge, rose et blanc, dans les proportions suivantes : rouge à 25 %, rose à 50 %, blanc à 25 % – proportions que nous préférons noter ainsi : 1/2/1. Mais, chez les petits pois, la domination du rouge sur le blanc rend impossible de distinguer le rouge du rose : nous ne pouvons distinguer que les individus colorés des individus blancs. On ne peut alors distinguer P1 de F1, et les individus de F1 sont donc tous colorés comme P1 ; trois individus de F2 sont colorés, un comme P1 et deux comme F1 ; tandis qu'un individu de F2 est blanc. Le rapport 3/1 de Mendel est exact.

D'où viennent les trois proportions 1/2/1 ?

Par le caractère pris en examen, nous savons que chaque individu F1 est moitié P1 et moitié P2 (*Aa*), et qu'il transmet à tout enfant l'une ou l'autre moitié, jamais toutes les deux. La théorie de cette transmission est que le choix de l'une des deux parties transmise à l'enfant – soit celle qui est caractéristique de P1, *A*, soit celle qui est caractéristique de P2, *a* – est le fait du hasard, comme de savoir, quand on lance une pièce, si elle va tomber côté pile ou côté face. Mais il y a des individus F1 qui contribuent à l'enfant F2, ce qui revient à jeter la pièce deux fois. Les résultats possibles de deux lancements de pièces indépendants (croisement entre deux F1), ou du lancement en même temps de deux pièces (autofécondation d'un individu F1) sont : pile/pile, pile/face, face/pile et face/face. On perçoit assez intuitivement qu'ils ont tous des probabilités égales de sortir. Si « pile » correspond au type P1 et « face » au type P2, l'événement « pile/pile » correspond à un individu chez lequel le patrimoine héréditaire masculin est seulement P1, comme dans le phénotype de la lignée pure P1, et l'événement face/face correspond à P2. Les deux autres événements, face/pile et pile/face, sont deux individus qui sont exactement comme F1. Pour résumer, les individus F2 sont donc :

Pile/pile	type P1	1 individu	AA
Pile/face	type F1	1 individu	Aa
Face/pile	type F1	1 individu	Aa
Face/face	type P2	1 individu	aa

Dans la dernière colonne figure la notation génétique la plus commune. Il est clair que les individus de la deuxième et de la troisième ligne peuvent être regroupés. On aura alors : 1 *AA*/2 *Aa*/1 *aa*. Et comme les phénotypes *AA* et *Aa* ne peuvent d'habitude pas être distingués quand il y a domination d'*A* sur *a* (c'est-à-dire que les types P1 et F1 sont physiquement identiques), on peut former le phénotype A en regroupant 1 *AA* et 2 *Aa* qui ont tous deux un *A*. Nous avons ainsi justifié la forme classique de la deuxième loi de Mendel : 3*A*/1*a*, et ce que prouvent ses expériences, c'est-à-dire que les *3A* sont en réalité *2Aa* + *1AA*.

En réalité, nous n'avons la possibilité de travailler sur la constitution génétique que depuis très peu : d'habitude, ce qui nous intéresse vraiment chez l'homme est le produit final de la structure, notre personnalité physique et psychologique, sur laquelle agissent de manière complexe le milieu naturel et culturel dans lequel nous vivons, ainsi que celui dans lequel nous vivions durant l'enfance, période de la vie où l'on apprend beaucoup.

La troisième loi de Mendel

Nous ne mentionnerons la troisième loi de Mendel qu'en passant. Elle dit que, si l'on effectue un croisement dans lequel l'un des deux parents diffère de l'autre par deux caractères, chacun des deux caractères se comporte chez les enfants F1 indépendamment de l'autre ; c'est-à-dire que les différences entre individus ne tendent aucunement à être héritées ensemble. La troisième loi a un grave défaut, mais Mendel ne pouvait pas le connaître : elle est valide seulement si les deux caractères sont sur des chromosomes différents, ou si, étant sur le même chromosome, ils sont plutôt éloignés l'un de l'autre.

Il semble que les sept caractères de Mendel se trouvent sur des chromosomes différents (il y a justement sept chromosomes chez les petits pois), et cela a rendu très simples les exemples d'indépendance entre caractères qui servirent au frère de Brno pour formuler sa troisième loi. Même si les deux facteurs responsables de deux caractères différents étaient sur le même chromosome, et cependant assez éloignés l'un de l'autre, c'est comme s'ils étaient sur des chromosomes différents. Quand nous prévoyons les résultats de croisements de plusieurs caractères dus à des facteurs génétiques localisés sur le même chromosome, nous devons tenir compte de la structure des chromosomes, qui sont des brins très longs formés d'une substance chimique appelée ADN, que nous étudierons plus loin, et qui ont rendu possible la poursuite du développement.

L'opposition de Nägeli

Après de nombreuses années de travail qui permirent la réalisation d'un nombre énorme d'expériences sur des milliers de plantes et la récolte d'une quantité extraordinaire de données, Mendel écrivit un article d'une soixantaine de pages, en allemand – c'était la langue de l'Empire austro-hongrois –, dont il fit la lecture lors d'une réunion de la Société des sciences naturelles de Brno, à laquelle assistait un grand nombre de spécialistes de la question. L'Allemagne voisine était à cette époque le berceau européen des disciplines scientifiques ; l'Autriche, pays civilisé et développé, montrait un intérêt remarquable pour les sciences.

Quand Mendel rendit public ce magnifique travail, il fut lourdement attaqué. Nägeli, qui jouissait d'une grande considération dans le monde scientifique parce qu'il avait réalisé parmi les premières observations de cellules au microscope, fut invité à la réunion et il critiqua rudement ses expériences. Dans la correspondance qui suivit cette rencontre, Nägeli opposa aux expériences menées par Mendel des expériences sur une plante qui ne montre aucune ségrégation de caractères héréditaires, mais qui hérite toujours le type maternel, comme si elle ne pouvait hériter aucune différence, comme on le voit chez tous les autres organismes vivants.

Nous savons aujourd'hui que cette plante simule une hybridation quand elle est fécondée par du pollen extérieur, mais en réalité elle s'unit à elle-même puisque, même si du pollen lui arrive de l'extérieur, elle le digère et utilise de toute façon le sien : en substance, elle fait semblant d'avoir des enfants hybrides, mais elle n'en a pas.

Entre Mendel et Nägeli, le public prit parti pour ce dernier : hélas, dans le domaine de la science aussi la grande réputation d'un personnage doit être prise en compte. Les auditeurs se fient à lui avec une certaine crédulité. C'est précisément pour éviter que cela ne se produise que, aujourd'hui, la science prétend vérifier toute assertion : la communauté scientifique ne croit jamais quelque chose qui n'est pas démontré par plus d'une personne fiable. Incapable de convaincre Nägeli, le frère de Brno finit par abandonner.

Il devint abbé, s'occupa de météorologie, et dans ce domaine aussi il fit du très bon travail. C'était un homme de grande valeur, qui bénéficia dans sa vieillesse d'une grande reconnaissance – notamment pour un excellent travail concernant le système bancaire, mais jamais pour ses études sur les petits pois.

En réalité, on formula plus tard contre lui des critiques valides ; l'une d'elles est que ses comptages d'individus de types différents débouchant sur un croisement ne pouvaient pas être corrects. Par exemple, dans une expérience de F2, au lieu du rapport attendu de trois phénotypes dominants et un récessif, Mendel obtenait 2,98 pour 1.

Il avait écrit que cette donnée avait été calculée à partir de 3 817 dominants contre 1 248 récessifs, mais, quand on contrôle ses résultats et que l'on refait avec soin les calculs de probabilités à l'aide de méthodes qui n'existaient pas à l'époque, on comprend qu'il a sans doute écarté des résultats qui n'étaient pas en accord avec ses hypothèses. D'aucuns le traitèrent d'imposteur, d'autres prirent sa défense. Une cause d'erreur fut peut-être la crainte de voir le *Bruchus pisi* honni monter sur ses petits pois et embrouiller la situation : c'est peut-être cette crainte qui convainquit Mendel d'écarter certains résultats trop aberrants. Une autre hypothèse a été avancée par mon professeur à Cambridge, Ronald A. Fisher, qui a répété bien des expériences de Mendel et qui cultivait dans le jardin de son département des petits pois présentant les mêmes caractères que ceux en usage à Brno : l'idée serait que Mendel était irritable et que le jardinier qui l'aidait dans ses expériences, connaissant son caractère et ayant donc compris ses attentes, aurait rejeté les expériences qui s'en écartaient trop.

Spermatozoïdes et ovules

Nous verrons que la matière vivante de n'importe quel type est composée d'unités appelées des cellules, et que celles qui sont destinées à la reproduction sexuelle sont appelées *cellules sexuelles*.

Chez les animaux, elles prennent le nom de spermatozoïdes si elles sont masculines (l'équivalent des grains de pollen chez les plantes) et d'ovules si elles sont féminines. Les spermatozoïdes sont petits et mobiles. Déposés dans le vagin durant le coït, ils rejoignent les ovules dans la profondeur des organes féminins et s'unissent à eux, un spermatozoïde avec un ovule. Ce dernier, ainsi fécondé, se reproduit en formant un embryon qui croît jusqu'à donner naissance à un individu adulte. Les cellules sexuelles présentent donc une différence fondamentale par rapport aux cellules de l'organisme adulte : toute cellule sexuelle, masculine ou féminine, porte au moins un patrimoine héréditaire complet, qui est composé chimiquement d'ADN, comme nous le verrons plus bas. Le patrimoine héréditaire prend aussi le nom de génome. Tout adulte est enfanté par la fusion d'un spermatozoïde et d'un ovule, et contient donc au moins deux génomes complets. Tout génome est fait d'unités très nombreuses, à la nature précise desquelles nous nous intéresserons plus loin.

Le coup de génie

Mendel pensa que les unités du génome (un mot qu'il n'employa jamais) étaient des particules, qu'il existait de très nombreux types différents de particules, a, b, c, d, etc., et que ces particules devaient donc être fort petites. Parmi celles qu'il étudia, l'une concerne la couleur des graines, l'autre la hauteur de la tige, et ainsi de suite. Toute particule, c'est-à-dire tout caractère, peut exister sous des formes différentes : a1, a2, a3, etc. Dans ses croisements, Mendel trouva ou utilisa seulement deux formes pour tout caractère : *A*, *a* pour *A*, *B*, *b* pour un autre caractère, etc. Le vrai coup de génie fut de proposer l'hypothèse, non écrite mais en quelque sorte latente dans la pensée de Mendel, selon laquelle le patrimoine héréditaire d'une cellule sexuelle contient une seule particule de chaque type : une a, une b, une c, etc. Puisqu'un individu est fait de l'union d'un génome apporté par le mâle (le spermatozoïde chez l'animal, un grain de pollen chez les plantes) et d'un génome apporté par la femelle (qui porte le nom d'ovule ou des noms différents chez les animaux et chez les plantes), un adulte a deux génomes complets, et donc aussi deux particules de chaque type.

Cette simplification radicale permet de bien comprendre toutes les lois de Mendel et les croisements possibles ; on a estimé qu'elle était presque toujours juste, selon toutes les approches indépendantes ; mais il y a des cas où des cellules sexuelles peuvent avoir plus d'un génome et des adultes, plus de deux. Le degré de *ploïdie* indique le nombre de génomes : les mots haploïde, diploïde, triploïde et ainsi de suite indiquent un, deux, trois génomes. Si une cellule sexuelle diploïde féconde une autre cellule sexuelle haploïde, le résultat est un adulte triploïde ; cela arrive, mais c'est très rare.

Un effet important et peu connu de la domination : la vigueur des hybrides

Annonçons avec un peu d'avance une déduction importante, qui devra être discutée plus longuement par la suite : la domination est un argument permettant de juger que le racisme est une erreur. En effet, les hybrides sont plus « vigoureux » que les lignées pures. Les « races pures » n'existent pas : ce sont simplement celles qui nous semblent relativement homogènes. En réalité, elles ne le sont jamais. Chez l'homme, il n'existe d'homogénéités élevées que pour quelques caractères clairement visibles, comme la couleur de la peau. Certains considèrent la « race » de peau blanche comme supérieure, mais le développement socio-économique est très probablement la conséquence d'une situation favorable assez particulière qui ne semble vraiment pas due à une quelconque supériorité génétique, comme l'impliquerait l'idée d'une race supérieure. Il s'agit plutôt d'une supériorité économique des Européens qui s'est développée à des époques historiques très récentes et qui pourrait bien disparaître en un temps encore plus bref, en raison d'erreurs socio-économiques.

Les expériences pratiquées sur des animaux et sur des plantes montrent que l'on peut produire des lignées pures qui présentent une homogénéité entre individus élevée, en croisant entre eux, pendant des dizaines de générations, des parents rapprochés – comme les parents et les enfants, ou les frères et les sœurs. Pour autant, on ne produit jamais une homogénéité très élevée, parce que la perte de la diversité génétique tend à entraîner un fort appauvrissement du phénotype général ainsi qu'une stérilité qui empêche complètement la reproduction. Des populations qui se sont reproduites séparément pendant de nombreuses générations développent des différences génétiques, et les hybrides (individus produits par le croisement de populations différentes appartenant à la même espèce) bénéficient généralement d'une vitalité supérieure et de l'amélioration de beaucoup de caractères. Ce phénomène, qui était déjà connu à l'époque de Darwin, est désigné comme la « vigueur hybride ». Pour le dire simplement, et en considérant les faits, on voit que les hybrides réunissent les génomes de deux individus qui ont grandi dans des milieux différents par le climat et par bien d'autres aspects, et qu'ils ont donc une richesse génétique plus grande que celles des « races pures » (qui du reste, répétons-le, n'existent pas), parce que leur diversité génétique est plus grande, ce qui signifie que, en un sens, ils sont préparés pour faire plus de choses, pour affronter des situations plus disparates.

Voici une expérience qui le montre : deux plantes de lignées pures de maïs, que nous appellerons A et B, furent plantées ensemble dans un pot avec la première génération du croisement A × B. La même expérience fut répétée dans d'autres pots. On vit que la plante croisée était toujours plus vigoureuse que les deux lignées pures, comme le démontrait immédiatement le fait qu'elle était plus haute et plus riche que ses deux parents. Cette constatation connut une application industrielle aux États-Unis durant la Première Guerre mondiale, et, aujourd'hui que l'agriculture est devenue une grande industrie, on utilise presque uniquement des graines de croisements hautement sélectionnés, c'est-à-dire hybrides ; le même principe se diffuse aussi chez les animaux.

Pour mener l'expérience opposée, qui permet de diminuer la diversité génétique entre individus de la même race et d'obtenir ainsi des lignées ou des races le plus « pures » possible, on continue d'unir entre eux pendant de nombreuses générations des frères et des sœurs (beaucoup de plantes, rappelons-le, peuvent s'unir aussi à elles-mêmes). Cette expérience s'appelle l'*inbreeding*, ou consanguinité, et elle entraîne toujours une diminution de la vitalité. C'est l'une des raisons pour lesquelles le racisme est particulièrement absurde : la limitation des échanges entraîne une perte de la variation génétique, tandis que la vigueur des hybrides fait que plus les individus sont mélangés, plus ils sont performants par rapport au milieu.

Le président des États-Unis, Barack Obama, pourrait être défini comme un hybride vigoureux (entre Américains blancs et noirs). Un autre exemple d'homme politique de grande valeur, qui est un hybride des deux populations les plus méprisées dans la vision raciste du monde, est Nelson Mandela. En effet, Mandela descend presque à moitié d'un groupe parmi les plus primitifs qui soient, les Khoïkhoï, appelés de manière péjorative les Hottentots par les colonisateurs européens. Les Khoïkhoï ont une conformation physique particulière. Leurs femmes ont des postérieurs absolument impressionnants. Quand le cousin de Darwin – l'anthropologue Francis Galton, qui était obnubilé par la mesure des êtres humains – alla les étudier, il rencontra certaines difficultés : à l'époque victorienne, mesurer le postérieur des femmes semblait plutôt inconvenant. Ne pouvant renoncer à rassembler ces données, il demanda aux femmes khoïkhoï de se placer à une distance fixe qu'il avait déterminée, de profil, et il mesura le diamètre antéro-postérieur de leur postérieur de loin, comme un angle, au moyen d'un instrument astronomique : un sextant.

Revenons à Mandela : il est aussi à moitié bantou. Parmi les Africains, les Bantous sont les plus semblables aux Européens et aux habitants du reste du monde, parce qu'ils sont issus d'une population qui s'est répandue après les séparations évolutives précédentes, comme nous le verrons en détail plus bas. Les Hottentots (Khoïkhoï) et les Bochimans (San), en Afrique du Sud eux aussi, parlent les langues de la famille linguistique la plus ancienne qui existe, appelée khoïsan. Bochimans et Hottentots sont les deux populations humaines les plus anciennes, en ce sens qu'elles se sont séparées du reste des vivants avant toutes les autres et qu'elles ont eu plus de temps pour se différencier. Les Bantous, au contraire, ont une origine récente, comme le montre leur diffusion, qui a commencé il y a environ 3 000 ans, depuis la région comprise entre le Nigeria et le Cameroun, d'où ils se sont répandus dans toute l'Afrique centrale et du Sud.

Mandela et Obama ne sont que deux exemples, mais ils donnent envie d'en chercher d'autres parmi les hommes qui connaissent le succès, et parmi eux les hommes politiques, qui occupent peut-être une place particulière en raison du fait que, pour avoir du succès, un homme politique a besoin de nombreuses qualités : une capacité d'apprentissage élevée, de l'activisme, du courage, des qualités de charisme. Quand il y a domination, le type alternatif au type dominant, c'est-à-dire, pour ainsi dire, le type « dominé » dans les croisements, présente souvent quelques désavantages ; Mendel appela ce type le type récessif, du verbe latin *recedere*, « se retirer ». Dans leur grande majorité, les caractères favorables sont dominants, si bien que, parmi des personnes d'origines diverses, l'hybride a en moyenne un avantage sur ceux qui ne comptent pas, parmi leurs ancêtres, de diversité particulière. C'est exactement le contraire du respect témoigné depuis très longtemps à l'égard des membres des familles aristocratiques. Naturellement, l'hybride peut être la victime d'incompréhensions sociales, si par exemple il s'est déplacé récemment dans le milieu d'un de ses parents et qu'il n'en connaît pas bien les traditions et les coutumes.

3

Les gènes

Le génome et l'encyclopédie Treccani[1]

Nous avons jusqu'à maintenant parlé de caractères héréditaires, mais le moment est venu de prêter attention aux gènes, qui sont l'unité héréditaire fondamentale des organismes vivants. Mendel devait avoir fait l'hypothèse, pour expliquer ses résultats, qu'il devait exister des *facteurs* – c'est le mot qu'il employa – dont il existait un seul type par caractère, et aussi une seule unité élémentaire physique, responsable de la transmission des caractères, l'une d'origine paternelle et l'autre d'origine maternelle. À tout enfant, cependant, n'est transmise qu'une seule des deux contributions, et le choix est fait au hasard. Cette idée des facteurs héréditaires de Mendel est encore exacte ; aujourd'hui, nous les reconnaissons comme les unités élémentaires de la biologie, et nous les appelons *gènes*. En 1889, Hugo de Vries inventa le terme *pangen* pour désigner la particule la plus petite (de nature totalement inconnue) qui porte un caractère héréditaire ; dix ans plus tard, le botaniste suédois Wilhelm Johannsen, qui introduisit dans les premières années du XXe siècle des termes divers comme *génétique*, l'abrégea en *gène*.

---

1. L'encyclopédie Treccani, de son nom complet *Encyclopédie italienne de sciences, de lettres et d'arts*, est l'encyclopédie de référence italienne, publiée par un institut fondé par Giovanni Treccani en 1925, et enrichie depuis de nombreux volumes. [Note du traducteur.]

Le mot employé par Mendel est toutefois plus approprié, parce qu'il évoque l'idée d'unité élémentaire, comme les atomes dans le domaine de la physique. Aujourd'hui, connaissant la nature chimique du patrimoine héréditaire, qui est l'ADN, nous pouvons être bien plus précis. En effet – comme nous le reverrons à de nombreuses reprises, avec toujours plus de détails –, l'ADN est un très long brin constitué d'unités très simples attachées les unes aux autres, que les chimistes appellent nucléotides. Il en existe quatre types différents – A, C, G, T –, et leur ordre sur l'ADN détermine le caractère héréditaire. Le changement d'un seul nucléotide peut avoir des effets importants. J'en mentionnerai un qui intéressera beaucoup de lecteurs : l'intolérance au lactose, qui est due à un seul nucléotide A se trouvant dans une certaine position d'un certain chromosome ; si ce nucléotide change de A à G, le porteur du changement devient tolérant au lactose. Il s'agit de l'exemple de changement héréditaire le plus simple, que nous prendrons l'habitude d'appeler *mutation*. Nous apprendrons que la mutation est due au hasard (comme dans les ségrégations mendéliennes), qu'elle est rare (disons qu'il en arrive une sur un million de naissances pour chaque nucléotide) et qu'elle est la principale source de l'évolution.

Pour l'heure, contentons-nous de dire que le patrimoine héréditaire est formé d'un ensemble de chromosomes – qui à leur tour sont formés de très longs fils d'ADN – comparable à une encyclopédie qui contiendrait toutes les instructions pour construire un individu d'une espèce particulière, qu'il s'agisse de plantes ou d'animaux. Cette encyclopédie est composée de divers volumes, comparables aux 23 paires de chromosomes humains ; mais les chromosomes sont de longueurs très variables, tandis que les volumes d'une encyclopédie ont des dimensions bien plus homogènes. Une encyclopédie est faite de lettres – il y en a, dans notre alphabet, une bonne vingtaine ; un génome humain est fait d'un peu plus de 3 milliards de nucléotides, si l'on additionne tous ceux qui se trouvent sur les 23 paires de chromosomes. L'encyclopédie Treccani est composée de 36 gros volumes, chacun d'environ 1 000 pages, et chaque page contient environ 10 000 caractères (le nombre de lettres) : le nombre total de lettres est donc d'environ 360 millions (un peu moins, si l'on enlève les encarts et les commentaires hors texte). Nous pouvons dire, grossièrement, que l'encyclopédie Treccani est environ huit fois plus petite qu'un génome. En revanche, une lettre de l'encyclopédie Treccani contient plus d'information qu'un nucléotide, puisqu'il y a 25 lettres dans l'alphabet (si l'on compte aussi K, W, X, Y[1]) contre 4 nucléotides dans le génome : 25/4 = environ 6 fois plus d'information. Comme ordre de grandeur, génome humain et encyclopédie Treccani contiennent la même quantité d'information.

Au début, le mot de « gène » était utilisé pour indiquer tout facteur héréditaire qui suit les lois de Mendel, mais, après avoir clarifié la structure chimique du patrimoine héréditaire, on a réservé ce mot à un segment entier d'ADN capable de produire une unité biochimique fondamentale dans le fonctionnement d'une cellule : une protéine. Dans le patrimoine héréditaire de l'homme, comme nous le verrons, il y a environ 25 000 gènes différents, dont chacun correspond à des segments longs en moyenne de milliers de nucléotides.

Le travail de Mendel, en substance, resta oublié pendant trente-cinq ans ; la vraie difficulté tenait probablement au fait qu'il contenait beaucoup de mathématiques. Typiquement, les biologistes refusaient – et ils refusent souvent aujourd'hui encore – les mathématiques. Ce fut seulement au début du XXe siècle que trois biologistes – le naturaliste hollandais Hugo de Vries, le botaniste allemand Carl Correns et l'agronome autrichien Erich Tschermak – « découvrirent », à l'insu les uns des autres, les lois de Mendel, et qu'ils répétèrent ses expériences avec succès. L'un d'eux soutint même qu'il n'avait jamais eu connaissance de l'abbé tchèque, tandis que les deux autres reconnurent qu'ils connaissaient son existence.

Après avoir été prouvées et reconnues comme parfaitement exactes, les lois de Mendel étaient donc devenues « vraies », si bien que leur découvreur, trente-cinq ans après la publication de ses travaux et seize ans après sa mort, eut enfin raison. Après 1900, beaucoup commencèrent à se demander si ces lois valaient aussi pour les autres plantes et pour les animaux ; quand on comprit qu'il en allait effectivement ainsi, la génétique, née des travaux pionniers d'un humble frère bohémien tombé dans l'oubli, devint non seulement la partie la plus importante de la biologie, mais la clé même.

1. K, W, X et Y n'appartiennent pas à l'alphabet italien classique, qui ne compte que 21 lettres. [Note du traducteur.]

En effet, comme on le verra, ces lois indiquent la route qui permet de comprendre ce qu'est vraiment un organisme vivant.

La cellule

Les êtres vivants sont constitués de cellules : c'est aujourd'hui une affirmation évidente, mais seul le progrès des microscopes, advenu dans la première moitié du XIXe siècle, a rendu possible cette découverte perturbante. Jusqu'alors, on considérait que les méthodes de la chimie et de la physique ne permettaient pas d'étudier la substance gélatineuse présente dans les cellules, appelée « protoplasme », qui représentait l'origine primordiale de la vie.

La cellule, tellement petite qu'elle n'est visible qu'au microscope, est l'unité fondamentale qui compose tous les organismes vivants ; certains d'entre eux, comme les protistes, sont formés d'une seule cellule, tandis que d'autres organismes, plus complexes, peuvent même être composés de milliers de milliards de cellules. À mesure que les organismes pluricellulaires se font plus complexes, leurs cellules se différencient.

Dans les organismes pluricellulaires existent donc de nombreux types de cellules. Parmi les plus importantes, on trouve les épithéliums, qui forment la couverture extérieure du corps, soit la peau et la muqueuse. La muqueuse est une membrane très importante ; elle commence dans notre bouche et elle forme le tuyau qui comprend l'œsophage, l'estomac et l'intestin, long en tout d'une dizaine de mètres, qui finit à la partie opposée du corps. Peau et muqueuse sont un ensemble de cellules épithéliales attachées les unes aux autres qui ont la même fonction : établir une barrière protectrice entre l'extérieur et l'intérieur.

Il y a ensuite les cellules musculaires, qui forment les fibres musculaires, capables de se rétrécir et de s'allonger, et qui, attachées aux os, nous donnent la capacité de nous mouvoir. Il y a des cellules responsables du fonctionnement des glandes sécrétrices ; certaines dirigent ce qu'elles sécrètent (c'est-à-dire leurs produits) vers l'extérieur, comme les glandes salivaires, qui déversent la salive dans la bouche ; d'autres dirigent ce qu'elles sécrètent vers l'intérieur, c'est-à-dire dans le sang, et on les appelle glandes endocrines :

leurs produits sont les hormones. Un exemple de glande endocrine est l'hypophyse, située dans le crâne, juste en dessous du cerveau, chargée de produire l'hormone qui contrôle la croissance de l'organisme et d'autres hormones qui dirigent certaines fonctions importantes, y compris celle de glandes endocrines comme la thyroïde, et l'activité d'organes comme le pancréas, dont les altérations produisent par exemple le diabète ; mais il y en a beaucoup d'autres qui introduisent leurs produits dans le circuit sanguin.

Les cellules du même type sont organisées dans ce que nous appelons un *tissu,* c'est-à-dire un ensemble de cellules semblables qui ont une fonction spécifique. Le cartilage et les os, qui nous permettent d'avoir un corps rigide, font partie du tissu conjonctif, ainsi appelé parce qu'il sert à tenir ensemble les différentes parties, à les *conjoindre.* Sur les articulations, qui permettent à des corps rigides comme les os de s'articuler les uns aux autres, on trouve le tissu cartilagineux, qui forme aussi la partie la moins rigide du nez et les oreilles.

Le tissu le plus important est le tissu nerveux, formé de cellules, les neurones, qui constituent le cerveau et la moelle épinière. Chacune de ces cellules inclut de nombreuses fibres courtes et aussi certaines qui sont très longues. Les neurones sensoriels reçoivent les stimuli de tout le corps et les transmettent au cerveau, créant ainsi les sensations. D'autres fibres partent des corps cellulaires des neurones : elles contrôlent et dirigent nos mouvements et pratiquement toutes les autres fonctions, faisant du cerveau le véritable centre des opérations de tout notre corps.

Les caractéristiques fondamentales et le rôle des cellules dans les organismes vivants furent compris par deux scientifiques allemands, le botaniste Matthias Schleiden et le physiologiste Theodor Schwann, qui arrivèrent presque en même temps à la même conclusion : tous les organismes, même les plus grands, sont composés de parties très petites qui, quoique possédant une individualité, sont toujours attachées les unes aux autres. Chacun de ces minuscules petits morceaux de corps est appelé « cellule ». Un homme, qui est un seul être, est en même temps composé de quelque chose comme 100 000 milliards de cellules, particules si petites qu'il faut utiliser un microscope pour les voir.

Le mot latin *cellula,* qui signifie « petite chambre », avait déjà été employé en 1665 par le scientifique anglais Robert Hooke.

Décrivant les trous qu'il avait observés avec un microscope de son invention dans de fines coupes de liège, il les avait comparés aux cellules des monastères. Les trous dans le liège, bien visibles quand on en taille une tranche et qu'on l'agrandit, sont ce qui reste des cellules après la perte du liquide : il ne subsiste que les parois extérieures. Nous savons toutefois que, dans l'organisme, le vide qu'avait vu Hooke dans la cellule n'est pas vide, mais plein d'un liquide gélatineux où l'on peut distinguer de nombreux organes très petits, complexes et nécessaires pour la vie de la cellule.

Bien que Schleiden et Schwann eussent clairement compris que la cellule est l'unité fondamentale de tous les vivants et que tous les corps sont faits de cellules, ils ne pensèrent pas à une hypothèse très brillante qui fut proposée par la suite par un autre Allemand, le pathologiste Rudolf Virchow : les cellules se multiplient toujours à travers la division d'une cellule préexistante.

Virchow et la division cellulaire

L'anatomopathologie, fondée par Virchow, étudie les tissus des malades, ce qui signifie, en quelques mots, que l'on commence par découper le malade en morceaux – après sa mort –, puis que l'on examine les parties au microscope. Virchow, un des médecins les plus importants du XIXe siècle, se rendit compte que les corps sont faits de nombreux types de cellules qui ont des formes et des fonctions diverses, et il distingua plusieurs catégories. Et ce fut encore Virchow qui, en comprenant que les maladies ont leur origine dans les cellules, jeta les bases de la pathologie cellulaire moderne. Sa contribution la plus considérable est la formulation d'une théorie cellulaire selon laquelle les cellules ne se forment pas librement, comme on le jugeait alors, à partir d'un tissu amorphe ; au contraire, chaque cellule, au cours du développement de l'individu, est à l'origine de deux cellules très semblables qui continuent à grossir jusqu'à prendre les dimensions de la cellule mère et à être capables d'accomplir toutes les fonctions nécessaires à l'organisme.

Virchow est l'auteur de l'affirmation très fameuse *omnis cellula e cellula*, « toute cellule vient d'une autre cellule », qui fut universellement acceptée. Toutes les cellules ont en commun la propriété de se diviser, excepté les cellules les plus importantes du système nerveux qui, à partir d'un certain stade, deviennent très grosses et perdent ce comportement.

Vers la fin du XIXe siècle, on commença à étudier la division cellulaire en utilisant des méthodes très raffinées de coloration des cellules, qui étaient préparées en fines coupes dont on examinait plusieurs agrandissements en fonction de ce que l'on voulait voir. On parvint ainsi à une compréhension détaillée d'une fonction cellulaire fondamentale, sans laquelle un organisme vivant ne pourrait se conformer à son principal objectif, qui consiste dans l'engendrement d'autres individus presque identiques à lui-même : la reproduction.

La danse des chromosomes

Au début du XXe siècle, avant que les lois de Mendel n'aient été redécouvertes, on commença à regarder les cellules avec des microscopes toujours plus performants, et l'on comprit que leur division s'opère dans des manifestations d'une beauté extraordinaire ; c'est presque une danse de très petites particules, toujours les mêmes dans chaque cellule de l'organisme, et toujours dans le même nombre et sous la même forme. Ces particules sont les chromosomes, qui constituent le patrimoine héréditaire des organismes, et dont l'ensemble est le génome.

Par la suite, on découvrit que le patrimoine héréditaire est constitué d'une substance chimique appelée ADN, et que les chromosomes sont constitués pour moitié d'ADN et pour moitié de protéines produites par l'ADN. De tout cela, nous parlerons plus tard ; pour l'heure, il nous suffit de dire clairement que les chromosomes sont faits d'ADN, qui est un acide et qui, comme tel, se lie avec une substance qui possède une propriété chimique opposée : la base. Les chimistes savent, en effet, qu'acides et bases réagissent toujours les uns aux autres, formant une molécule unique à partir de molécules d'acide et de molécules de base. Or, si l'on donne certains colorants basiques à une cellule, les chromosomes, qui sont essentiellement acides, les fixent ; c'est précisément leur capacité de se colorer qui fait qu'on leur a donné le nom de « corps colorés », du grec *chroma,* « couleur » et *soma,* « corps ». Le terme fut proposé par Wilhelm von Waldeyer en 1888.

Dans leur état habituel, les chromosomes sont des brins très fins qui se trouvent à l'intérieur des cellules et qui ne se voient qu'avec des microscopes électroniques permettant un agrandissement très élevé. Quand la cellule commence à se reproduire, cependant, et tant que la reproduction cellulaire n'est pas achevée, les choses changent : le brin d'ADN s'enchevêtre et forme une hélice très compliquée en s'unissant à des protéines spéciales, pour se transformer, enfin, en une tige courte et colorée, visible même avec un microscope courant, mille fois moins puissant qu'un microscope électronique.

Au début de la division cellulaire, chaque chromosome se divise en deux chromosomes identiques au chromosome original, et les couples vont se fixer sur une structure nouvelle, en forme de fuseau, faite de protéines spéciales, qui commence à se former au centre de la cellule qui se divise. Ce fuseau grossit, et ses extrémités opposées se dirigent chacune vers un des deux pôles qui se forme dans la cellule en division. Les deux pôles opposés du fuseau sont le prélude de ce qui deviendra les deux cellules filles. Les chromosomes qui étaient initialement au centre du fuseau et qui sont à présent en cours de division forment un couple de chromosomes identiques. Les deux membres de chaque couple chromosomique se sépareront l'un de l'autre avec l'aide des fibres du fuseau (Fig. 1) et avanceront dans des directions opposées, si bien que, à la fin de la division, quand les deux cellules filles se sépareront, chacune aura une copie exacte de tous les chromosomes de la cellule mère. L'objectif de cette opération complexe est, précisément, que les deux cellules aient un patrimoine génétique héréditaire identique.

Si l'on observe le phénomène tout entier au microscope, on voit les chromosomes se regrouper au centre de la cellule où se forme le fuseau, puis se diviser et se déplacer tous ensemble, comme une rangée de danseurs durant un de ces bals de cour si à la mode dans la Vienne des Habsbourg – pour donner dans la connotation historique et géographique. On appelle ce phénomène la mitose – du grec *mitos,* « fil » – ou division cellulaire.

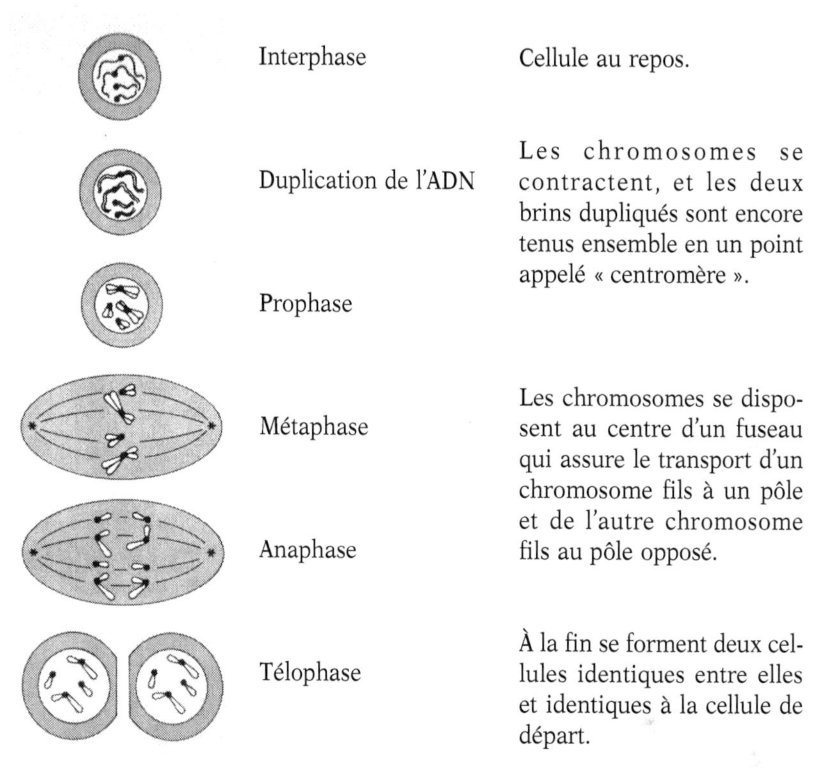

Figure 1. Représentation schématique de la mitose dans un organisme hypothétique doté d'une paire de chromosomes longs et d'une paire de chromosomes courts (Bodmer, Cavalli-Sforza, 1976).

Weissmann et Morgan : la naissance de la génétique

Les chromosomes et la mitose avaient déjà été décrits à la fin du XIXe siècle, mais on ne savait pas encore à quoi ils servaient ni pour quelle raison cette danse si compliquée avait lieu. En 1883, le cytologiste August Weismann eut l'intuition que les phénomènes de division cellulaire et la danse des chromosomes pouvaient avoir un rapport avec l'hérédité. Toutefois, ce fut seulement après la redécouverte de Mendel qu'un homme commença à réfléchir au fait que, si les chromosomes sont les porteurs physiques des caractères héréditaires, ils contiennent le secret de la transmission héréditaire. Ce pionnier, c'était Thomas Hunt Morgan, un biologiste américain qui, en 1915, exposa ses travaux dans un livre intitulé *Le Mécanisme de l'hérédité mendélienne* ; en 1933, il reçut le prix Nobel de physiologie et médecine.

Morgan eut l'intelligence de chercher un organisme beaucoup plus simple que les petits pois – qui ont besoin non seulement d'une année pour se reproduire, mais aussi d'une certaine étendue de terrain qui n'est pas toujours à la portée d'un chercheur – et le trouva avec la *Drosophila melanogaster*, la mouche des fruits.

Ces insectes se reproduisent en quinze jours, coûtent très peu d'argent (on les nourrit de polenta bouillie) et occupent peu de place ; en outre, quoiqu'ils soient minuscules, il suffit pour les observer d'utiliser des microscopes très simples. Morgan commença ainsi à cultiver et à faire des croisements sur la drosophile, et il trouva de nombreux caractères héritables divers. Il répéta les expériences de Mendel et se rendit compte que certains caractères se comportaient de manière étrange, selon des lois de Mendel modifiées, et que cela était clairement en rapport avec le sexe.

Comme nous l'avons déjà dit, pour toute paire de chromosomes, on reçoit un chromosome du père et un autre de la mère ; les humains en ont 23 paires, en tout 46 chromosomes. Les chromosomes vont toujours strictement par paires, et leur physionomie permet de bien distinguer au microscope presque tous les 23 types de chromosomes. Un des 23 couples s'occupe du sexe, et les membres du couple sont différents chez le mâle et chez la femelle. Il s'appelle couple XY. La femelle a deux chromosomes X, un qu'elle reçoit de son père et un qu'elle reçoit de sa mère, tandis que le mâle a un chromosome X qu'il reçoit de sa mère et un chromosome Y qu'il reçoit de son père. On peut dire, en substance, que le chromosome Y est le chromosome du sexe masculin, tandis que l'on ne peut pas dire que le chromosome X est le chromosome du sexe féminin, bien que la femelle en ait deux au lieu d'un.

L'hérédité des caractères qui se trouvent sur ce couple a un comportement tellement particulier que la seule conclusion raisonnable est que les caractères héréditaires sont sur les chromosomes.

Morgan, qui s'est entouré de collaborateurs très intelligents qui, pendant trente ans, ont travaillé à ses côtés à l'Université Columbia de New York, a créé la génétique moderne à partir de la drosophile. Par la suite, un de ses collaborateurs a eu l'intuition d'aller voir quels gènes se trouvent sur le même chromosome ; il s'est aperçu que, quand ils sont sur le même, ce chromosome est hérité presque en bloc.

Naturellement, il est raisonnable de penser que tous les gènes qui sont sur un chromosome donné sont transmis ensemble si le chromosome est hérité en bloc à chaque division.

Dotés d'une forme et de dimensions caractéristiques, les 23 couples chromosomiques se distinguent bien au microscope ; ils sont indiqués avec un numéro allant de 1 à 22, par ordre de grandeur décroissante, où 1 est le plus grand et 22, le plus petit ; la paire de chromosomes XY n'a pas de numéro parce qu'elle a le comportement particulier que nous avons évoqué (Fig. 2).

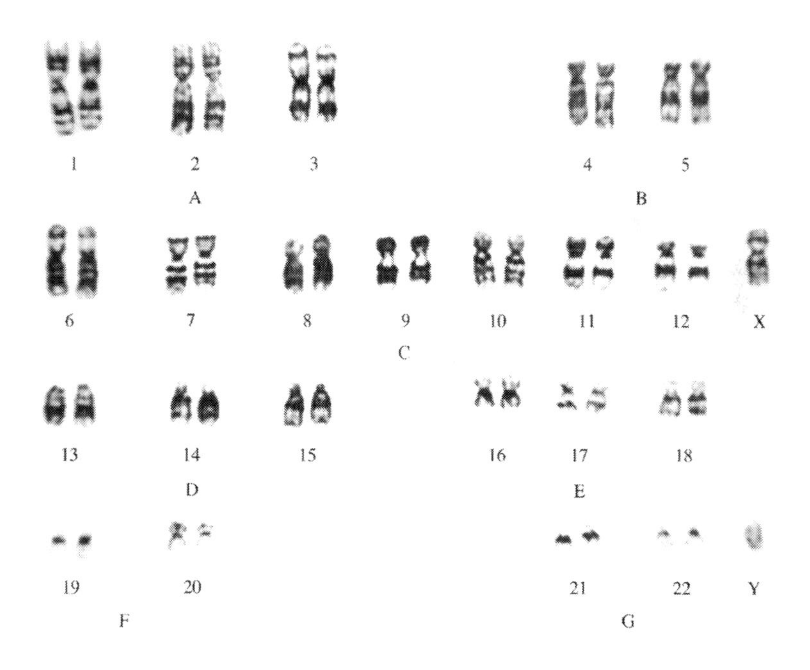

Figure 2. Les 23 couples de chromosomes d'une cellule masculine, chacun en forme de X parce qu'il se divise en deux. Une paire de chromosomes appelée XY est différente chez le mâle : c'est la paire des chromosomes dits sexuels – le mâle est XY et la femelle XX. Les cellules sexuelles masculine et féminine, dont la fusion formera l'enfant, reçoivent un seul chromosome de chaque paire, et pour cela les spermatozoïdes sont de deux types en nombre égal : ceux qui portent un X et ceux

qui portent un Y. En s'unissant avec un ovule qui a toujours un seul X, le spermatozoïde donnera naissance à des mâles s'il porte un chromosome Y, à des femelles s'il porte un chromosome X.

La recombinaison

Prenons deux chromosomes quelconques, disons les numéros 3 et 17. Un individu aura reçu un chromosome 3 du père, l'autre de la mère, et de même pour la paire numéro 17 et pour toutes les autres, sauf pour ceux que l'on appelle les chromosomes sexuels, X et Y, qui, comme nous l'avons dit, sont plus compliqués. Les spermatozoïdes et les ovules ont tous les deux un seul génome, c'est-à-dire un seul chromosome de chaque paire qu'a l'adulte, si bien que, quand un spermatozoïde s'unit à un ovule, le double génome de l'adulte se reforme. Cela étant, dans la formation de spermatozoïdes et d'ovules, l'origine paternelle ou maternelle des deux chromosomes de chaque paire n'a aucune influence sur les nouvelles combinaisons de chromosomes qui se forment : par exemple, un spermatozoïde particulier pourra avoir le chromosome 1, 3, 7, 9, et ainsi de suite, que l'individu reçoit du père, et au contraire les 2, 4, 5, 6, 8, et ainsi de suite, qu'il reçoit de la mère.

Spermatozoïdes et ovules ont la moitié des chromosomes de l'adulte, un de chaque paire, et, quand ils s'unissent pour former un nouvel individu, il y a de nouveau 23 couples. La réduction du nombre des chromosomes, qui est parfaitement régulière, un seul par paire, se produit quand se forment les cellules sexuelles.

La régularité est absolue parce que, autrement, le nombre des chromosomes augmenterait à chaque génération ; mais il est aussi nécessaire que, des deux chromosomes de chaque couple de chromosomes du fils, l'un soit d'origine paternelle et l'autre d'origine maternelle, c'est-à-dire originellement venus du père ou de la mère. Il y a de rares exceptions, comme des ajouts, des pertes de chromosomes ou de segments de chromosomes, et même des échanges, qui d'habitude sont responsables de maladies du nouveau-né. Des mères d'âge élevé ont tendance à produire des ovules avec deux chromosomes de type 21, ce qui fait que le fils en aura donc trois. La conséquence est une maladie appelée le syndrome de Down, qui implique des symptômes psychologiques et aussi une morphologie faciale et corporelle caractéristique.

Dans l'ovule qui s'unira avec un spermatozoïde, chaque chromosome aura eu lui aussi un choix différent entre les deux membres d'un couple chromosomique. C'est pourquoi nous trouvons de grosses différences entre frères et sœurs, même si tout enfant peut ressembler à l'un ou l'autre des parents par divers caractères, comme la couleur des cheveux, la forme du nez, le groupe sanguin, etc. La grosse variation individuelle qui en résulte dépend de ce tirage au sort des chromosomes au moment où se forment les cellules sexuelles qui seront à l'origine de l'enfant.

Naturellement, il y aura une ressemblance moyenne plus grande entre frères et sœurs, et entre parents et enfants, par rapport à celle que l'on observe entre deux individus quelconques de la même population. Ce tirage au sort entre chromosomes d'origine paternelle et chromosomes d'origine maternelle, qui a lieu quand se forment les cellules sexuelles, s'appelle la *recombinaison*.

Il y a une énorme recombinaison des génomes paternel et maternel dans la production de spermatozoïdes ou d'ovules : il y a deux choix possibles pour chaque chromosome, et donc $2 \times 2 \times 2 \times 2$... pas moins de vingt-trois fois, ce qui donne un nombre très grand de combinaisons possibles différentes (environ dix milliards). Il y a une ressemblance entre parents et enfants, elle est mesurable et correspond exactement à la valeur attendue, si on la mesure avec les méthodes statistiques opportunes.

L'enjambement

En réalité, le nombre de recombinaisons possibles est bien plus grand que celui qui résulte des combinaisons des 23 paires de chromosomes, parce que, dans la formation de spermatozoïdes et d'ovules, se produisent des échanges réciproques de segments entre les chromosomes d'origines paternelle et maternelle de la même paire. On peut observer ces échanges au microscope en étudiant la formation de spermatozoïdes ou d'ovules, et chaque échange est visualisé grâce au fait qu'une paire de chromosomes qui se divise n'a pas la forme de deux barrettes parallèles (II), mais présente un ou plusieurs croisements, appelés « enjambements », dont chacun donne au couple de chromosomes la forme d'un X. Il s'agit d'échanges très précis, parce que la perte de morceaux ou la duplication de segments de chromosomes peut avoir des conséquences tragiques dans le développement d'un individu (Fig. 3).

Les enjambements sont distribués au hasard, et chacun d'eux se produit dans une position différente chez tout spermatozoïde ou chez tout ovule produits, mais il y a une probabilité fixe qu'ils aient lieu dans une certaine région du chromosome définie par deux gènes dont on étudie l'hérédité.

Normalement, la probabilité pour qu'ait lieu un enjambement entre deux gènes est proportionnelle à leur distance sur le chromosome, si bien que le nombre moyen d'enjambements par chromosome est le plus élevé pour les chromosomes les plus longs et le plus bas pour les plus courts. Le nombre total d'enjambements qui a lieu entre les 23 paires de chromosomes est supérieur de peu à une dizaine par cellule. Il devient ainsi possible d'étudier l'ordre des gènes sur le chromosome et leurs distances en termes de fréquence d'enjambements. De cette manière, on construit les cartes des chromosomes de drosophiles et de beaucoup d'autres organismes, y compris l'homme. Par la suite, on a pu développer plusieurs systèmes différents pour établir les cartes chromosomiques, et l'on a obtenu des résultats parfaitement concordants.

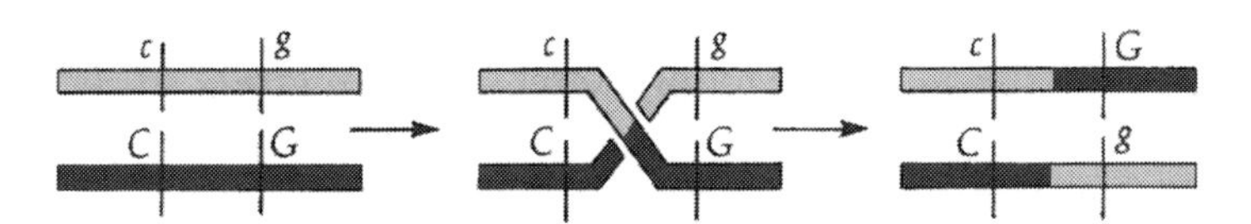

Figure 3. Enjambement entre deux chromosomes qui portent les caractères c/C (c = daltonisme ; C = normal) et g/G (G = normal ; g = affecté de favisme).

4

La substance centrale de la vie

La découverte de l'importance de l'ADN

Nous arrivons donc à notre grande question : de quoi sont faits les chromosomes, et qu'est-ce que la substance chimique responsable de l'hérédité ? Les chromosomes sont faits de substances chimiques qui sont connues depuis presque cent ans : les acides nucléiques, dont il existe deux types, appelés ADN et ARN (acide ribonucléique). Tous deux sont des brins très longs, parfaitement linéaires, c'est-à-dire sans branches. Nous commencerons à traiter de l'ADN, dont sont composés les petits bâtonnets que nous voyons quand une cellule se divise en deux et que, pour cette raison, elle s'allonge en forme de fuseau (Fig. 1) ; sitôt que chaque chromosome s'est redoublé, les deux membres du couple ainsi formé doivent aller aux deux pôles opposés du fuseau, qui sont les centres où se formera chacune des deux cellules filles. Il convient que chaque cellule fille ait un patrimoine génétique identique à celui de la mère. Quand la division est achevée, chaque chromosome se déroule en régénérant le très long brin qui l'avait formé ; il est alors en mesure de fonctionner.

La découverte de la structure de l'ADN est sans aucun doute la découverte la plus importante accomplie jusqu'à présent par la biologie, parce qu'elle explique ce qu'est la vie ; elle a posé les fondements permettant de comprendre tout le reste. Celui qui a fait cette découverte, au début des années 1950, était un de mes collègues et amis du nom de Jim Watson. Jusqu'alors, on considérait que le patrimoine héréditaire était constitué de protéines, parce qu'on croyait en la validité d'une théorie héritée du XIXe siècle sur la structure de l'ADN ; cette théorie vieille de presque cent ans, qui affirmait qu'il existait un seul type d'ADN, le même chez tous les animaux étudiés jusqu'à 1950, se révéla erronée.

Récemment encore, on ne réussissait pas à étudier les grosses molécules comme celles de l'ADN ; ce n'est qu'au cours des cinquante dernières années que l'on a été en mesure de le faire, en utilisant l'analyse aux rayons X. Avant cela, on devait se contenter de l'analyse chimique, qui montrait que l'ADN est constitué d'unités attachées les unes aux autres pour former le brin, appelées nucléotides. Un nucléotide est formé de trois molécules différentes : P, D et B.

P est le symbole de l'*acide phosphorique*.

D est l'initiale d'un sucre appelé *désoxyribose*. C'est pourquoi l'ADN s'appelle ainsi (c'est l'acronyme d'« acide désoxyribonucléique »), tandis que l'ARN (acide ribonucléique) contient du ribose, qui présente une petite différence par rapport au désoxyribose : il a un atome d'oxygène en plus, un seul, qui change ses activités chimiques.

B est une base, c'est-à-dire une molécule organique qui a une activité chimique « basique » : elle a donc tendance à se lier avec un acide et à neutraliser certaines de ses propriétés. Dans l'ADN, il y a quatre bases différentes : A et G sont les deux plus longues, appelées puriques ; C et T sont les deux plus courtes, appelées pyrimidiques. Leurs noms ne sont pas très importants, les initiales nous suffisent. Puisqu'il existe quatre bases différentes – A, C, G, T –, il existe quatre nucléotides différents :

PD**A**, PD**C**, PD**G**, PD**T**

La dernière lettre (en gras) indique la base qui différencie les quatre nucléotides.

Les analyses chimiques réalisées au XIXe siècle par un chimiste allemand avaient montré que l'ADN des animaux étudiés présentait les quatre bases en proportions égales. La structure d'un seul nucléotide est PDB, c'est-à-dire un phosphore P, plus une molécule de D et une base. Cela suggérait que la molécule de l'acide nucléique était formée de quatre nucléotides différents, c'est-à-dire un « tétranucléotide ». Cette théorie erronée dura presque cent ans, mais une difficulté réelle est que, pendant longtemps, il n'y eut pas de méthodes pour déterminer la structure de molécules complexes, comme les acides nucléiques et les protéines. Ce fut seulement en 1950 que l'on prouva que la théorie du tétranucléotide était fausse. Le chimiste américain d'origine autrichienne Erwin Chargaff publia l'analyse des quatre nucléotides chez beaucoup d'organismes vivants, tandis que jusqu'alors les études étaient largement limitées aux animaux supérieurs, et en réalité les proportions variaient beaucoup, par exemple entre les différentes bactéries.

Il y avait une règle simple et universelle : la proportion de la purique A était identique à la proportion de la pyrimidique T, et celle de la purique G était identique à celle de la pyrimidique C. On pouvait donc résumer la structure d'un ADN avec la proportion, par exemple, du couple AT. En effet, si cette proportion était, disons, de 70 %, les couples CG constituaient le reste, c'est-à-dire 30 %. Aussi, la composition complète était : 35 % A, 35 % T, 15 % C, 15 % G. Un seul nombre suffisait pour définir la composition. Clairement, la théorie du tétranucléotide avec quatre nucléotides en proportions égales, 25 % chacun, était fausse, mais pouvait être remplacée par une autre théorie très simple, qui par la suite se révéla précieuse pour comprendre la structure de l'ADN.

Avant les années 1940, on n'avait pas encore le moyen de découvrir la structure de molécules très grosses, mais les physiciens avaient développé une méthode pour éclairer avec des rayons ou d'autres radiations le cristal d'une substance dont on voulait connaître la structure. Un laboratoire de physique de Cambridge, en Angleterre (il y a un autre Cambridge aux États-Unis, près de Boston, où se trouve une autre université, peut-être plus importante que son homonyme anglais, appelée Harvard), avait introduit ces méthodes et les avait peu avant utilisées pour mettre au jour la structure d'une protéine, l'hémoglobine, la première dont il avait été possible de produire des cristaux. Les protéines ont une structure plus complexe que l'ADN, car elles sont constituées de centaines d'acides aminés, des molécules un peu plus simples que les nucléotides, mais on savait qu'une protéine est faite d'une vingtaine d'acides aminés différents, et qu'elle est donc sans aucun doute plus compliquée.

Le héros de l'ADN

Le héros de l'ADN est un jeune doctorant américain, Jim Watson, qui travaillait sur la génétique des bactéries, qui venait de commencer à se développer. Je l'ai connu parce qu'il a voulu venir à Milan pour me parler d'une théorie de la structure du chromosome bactérien qu'il avait construite en se fondant sur des données que j'avais publiées. Il considérait qu'il existe trois chromosomes bactériens, et il est allé voir un autre bactériologiste anglais, Bill Hayes, très compétent mais peu versé en génétique. Au début des années 1950, ils publièrent ensemble un article que je n'ai pas voulu cosigner. La théorie était fausse : il n'y a qu'un chromosome bactérien. Spécialiste de génétique bactérienne, Watson connaissait une expérience importante publiée en 1944 par trois bactériologistes de l'Institut Rockefeller de New York, Avery, Mac Leod et McCarty, qui avaient démontré que les caractères héréditaires des pneumocoques – les bactéries responsables de la pneumonie, dont il existe différents types immunologiques – pouvaient être transmis de leur type ancien à un autre, en traitant le second uniquement avec l'ADN du premier.

C'était alors un sujet de grande importance, parce que la seule façon de guérir la pneumonie (maladie qui causait 50 % de mortalité) était l'emploi de sérums thérapeutiques contre les diverses souches de pneumocoques. Mais la théorie du tétranucléotide était encore très répandue et elle ne pouvait expliquer les énormes différences de caractères héréditaires dans tout organisme. On croyait plutôt que le patrimoine héréditaire tenait aux protéines, qui, assurément, présentaient une grande variété. En outre, les bactériologistes de l'époque étaient très ignorants en matière de biologie et de génétique, et la croyance était répandue que les bactéries n'étaient pas vraiment des organismes vivants. Ainsi, ce travail resta ignoré pendant dix ans. Watson, quand il en prit connaissance, décida de consacrer toute son activité à l'analyse de la structure de l'ADN. Il se présenta au laboratoire d'études cristallographiques de Cambridge où il parvint à se faire engager contre un salaire de misère. Là naquit un rapport d'amitié et de collaboration avec Francis Crick, un physicien remarquable, plus âgé que lui.

D'autres laboratoires chimiques anglais possédaient des clichés de diffraction des rayons X de la structure de l'ADN, mais on n'y comprenait rien. Watson et Crick cherchèrent à développer une structure chimique : on construisait alors des maquettes physiques avec des atomes des éléments présents dans les chromosomes, qui sont surtout le carbone, l'hydrogène, l'oxygène, l'azote et le phosphore, pour expliquer certaines bizarreries des données de radiation. Une d'elles était qu'il semblait qu'il y avait deux brins très longs, disposés en parallèles et formant une hélice. Et l'on pouvait calculer la distance entre les deux brins, entre les spires, le pas de l'hélice, les distances entre nucléotides. Le modèle auquel on parvint, au terme d'une analyse remarquable, pouvait expliquer bien des propriétés d'un patrimoine héréditaire.

La structure de l'ADN

Il devint rapidement clair que l'ADN est un brin très long, dont la colonne vertébrale est une séquence de P, la molécule de phosphore, avec D, le désoxyribose. Le duo PD est répété sur toute la longueur. La chaîne fondamentale est donc :

PD PD PD PD PD PD...

À toute unité PD, comme on le voit plus précisément dans le schéma ci-dessous, s'attache, de la partie du sucre D opposée à celle qui est liée aux deux phosphores P, une base B. Ce sont D et P qui tiennent attachés les membres de la chaîne, parce que tout D est attaché à deux P consécutifs, et on peut dire la même chose à propos de P.

La base B peut être n'importe laquelle des quatre bases, A, C, G, T.

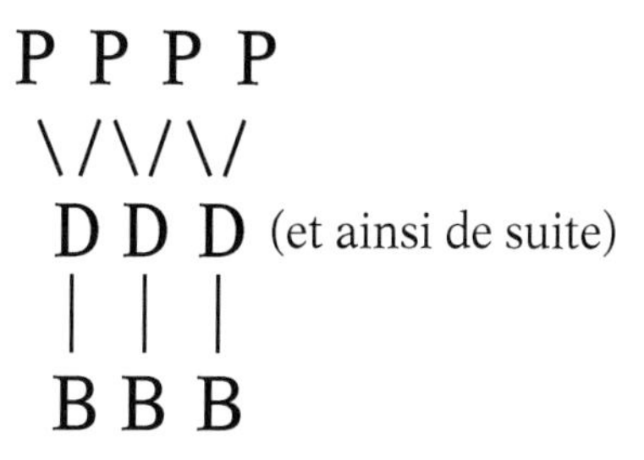

Il y a plus : un fait qui permet de comprendre comment fonctionne la reproduction des organismes vivants. L'ADN est un double brin, et toute base d'un brin est liée à une base de l'autre brin. Il n'y a pas de doute que la collaboration de Crick avec Watson a joué un rôle notable dans la découverte de la double hélice de l'ADN. On en a une autre preuve avec la contribution extraordinaire que Crick apporta plus tard à la découverte du code génétique, c'est-à-dire du dictionnaire qui traduit l'ADN en protéines (nous en parlerons bientôt). Tout le projet partit de Watson. Un autre élément qui apporta une aide décisive fut le fait que Rosalind Franklin, à Londres, avait obtenu des diffractogrammes de rayons X de la structure de l'ADN meilleurs que tous les précédents ; elle en avait parlé dans un séminaire, mais nul n'avait trouvé d'explication à ces résultats. Sur la base des figures obtenues par Franklin sur des cristaux d'ADN, Watson et Crick élaborèrent une théorie de la structure qu'ils publièrent en avril 1953 dans *Nature*, la plus célèbre revue scientifique.

Ils reçurent le prix Nobel pour leur découverte, mais non Franklin. Cela créa plus tard un problème éthique grave, parce que les deux découvreurs de la structure de l'ADN n'avaient pu avoir leur intuition que grâce à l'interprétation des données de Franklin, qui avaient été publiées séparément.

L'affrontement des deux brins avait cependant une restriction particulière : pour créer un cristal stable, il faut que les structures qui le forment soient compatibles. Le double brin avait une structure répétitive très claire et était d'épaisseur constante sur toute la longueur. Cela imposait des contraintes précises sur l'affrontement entre les bases opposées dans les deux brins : quand il y a une base purique sur un brin, il y a une base pyrimidique sur l'autre, mais cela ne suffit pas : si, sur un brin, il y a A, sur l'autre il doit y avoir T, et *vice versa*. Si, sur un brin, il y a C, sur l'autre il doit y avoir G, et *vice versa*.

En pratique, l'ADN a deux brins ; il devient comme une échelle, dont nous représentons quatre combinaisons possibles :

```
··· — PD — PD — PD — PD — ···
      |     |     |     |
      A     C     A     G
      ||    ||    ||    ||
      T     G     T     C
      |     |     |     |
··· — PD — PD — PD — PD — ···
```

Chaque barreau est fait pour moitié de A et pour moitié de T ; ou bien pour moitié de C et pour moitié de G. Les deux moitiés sont tenues ensemble par des forces chimiques faibles (indiquées par le signe ||), et l'échelle a des barreaux qui ne peuvent être qu'AT ou CG. Cela est dû au fait que seule cette combinaison permet au diamètre du double brin d'être constant, parce que la longueur du barreau AT est égale à celle de CG. Des bosses du double brin créeraient des irrégularités de comportement chimique. Cela explique la découverte d'Erwin Chargaff : dans des organismes divers, on peut trouver des différences d'ADN seulement dans la proportion d'AT et de CG.

Dans la réalité, l'échelle a une forme d'hélice, comme on le voit toujours dans les figures d'ADN (Fig. 4). Sans doute la spiralisation, qui est due aux forces chimiques existantes dans le double brin qui le maintiennent uni, a-t-elle aussi l'avantage de rendre la partie fondamentale de l'ADN, c'est-à-dire la séquence de base dans tout brin, moins exposée aux agents extérieurs, et donc plus résistante. Il est en effet nécessaire que l'ADN – c'est-à-dire les séquences de base – change le moins possible : nous verrons que les changements provoqueraient des mutations héréditaires, et la fréquence avec laquelle elles ont lieu est contrôlée par la nature. Elle est maintenue à des valeurs désirables dans l'évolution, qui sont en général des valeurs basses.

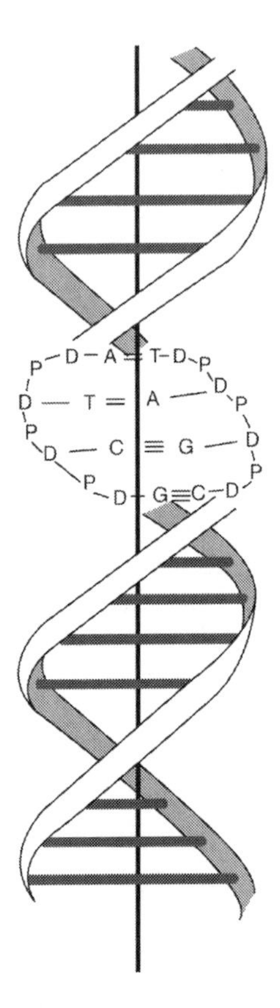

Figure 4. Schéma de la structure de l'ADN. Noter que les deux brins complémentaires sont unis l'un à l'autre par les bases : toujours C avec G, et A avec T. Les liaisons chimiques (liaisons hydrogène) sont faibles et s'ouvrent facilement quand l'ADN se duplique, et chacun des deux brins est à l'origine d'un double brin égal à celui qui s'est reproduit. Le lien d'A avec T est dû à deux liens d'hydrogène, et il est indiqué par un signe égal ; et celui de C avec G est indiqué par trois segments superposés, parce qu'il est dû à trois liens d'hydrogène et parce qu'il est plus fort que celui de A et T.

Enfin, rappelons la propriété fondamentale de la structure et de la reproduction de l'ADN : la molécule s'ouvre tandis que les deux peignes sont copiés selon la règle habituelle, A en face de T et C en face de G, ce qui produit deux nouvelles molécules identiques à la précédente. C'est ainsi qu'a lieu la reproduction des organismes vivants.

Programme et matériel génétique : ADN, spermatozoïdes, ovule

Les chromosomes, porteurs du patrimoine héréditaire qui permet à tout organisme vivant de produire des descendants, sont constitués pour moitié d'ADN et pour moitié de protéines produites par l'ADN. Deux cellules participent à la naissance d'un individu : le spermatozoïde et l'ovule. Le spermatozoïde est très petit, il a une queue qui lui permet de se déplacer, d'arriver le plus près possible de l'ovule, et il a une tête qui l'aide à entrer dans l'œuf ; tout le reste, ce sont des chromosomes. Dans son essence, le sperme n'est qu'une machine qui sert à trouver l'ovule, à pénétrer en lui et à lui donner son propre ADN. L'ovule a son ADN, qui a autant d'importance, en quantité et en qualité – au point que, des 23 paires de chromosomes que nous possédons, comme nous l'avons vu, pour chaque paire un chromosome vient du père et un autre de la mère. L'œuf est très gros et porte tout l'équipement qui sert à reproduire l'ADN et à l'utiliser pour en faire d'autres substances, qui sont les protéines.

Les protéines sont comme des ouvriers spécialisés : chacune d'elles s'occupe d'une activité particulière. Aujourd'hui, nous employons le mot « gène » pour indiquer un segment d'ADN qui dirige la synthèse d'une protéine, et non plus dans le sens d'un caractère héréditaire qui se comporte comme l'avait prévu Mendel, qui, très opportunément, les appelait les « facteurs ». Des éléments de ce genre sont souvent des nucléotides ou des segments plus brefs, tandis qu'un segment d'ADN qui sert à faire une protéine peut être long de milliers ou même de dizaines de milliers de nucléotides. Dans le génome de l'homme, il y a environ 25 000 gènes par individu. Les 25 000 protéines et plus qui sont produites par ces 25 000 gènes – parce qu'un gène peut produire des protéines différentes, même si d'habitude elles se ressemblent beaucoup – travaillent ensemble dans un système très compliqué et parfaitement organisé, la cellule, où chaque protéine a une fonction précise. Certaines protéines sont produites chez certains types de cellules et d'autres protéines chez d'autres types de cellules, si bien que même les cellules sont différenciées du point de vue des gènes qui sont en fonction. Une bonne partie de l'ADN sert précisément à ajuster les types de protéines qui sont produites.

Qu'est-ce donc que l'ADN ? C'est le programme, le manuel d'instructions pour faire les protéines et pour diriger leur action. Pour savoir comment est faite une protéine, il faut que l'ADN, d'une certaine façon, se traduise en une molécule plus compliquée, faite d'acides aminés au lieu de nucléotides. Le sperme ne donne que l'ADN, l'ovule donne l'ADN et tout l'équipement qui jusqu'à présent a été utilisé pour fabriquer les protéines et aussi l'ADN, parce qu'on ne peut reproduire l'ADN seul ; il faut faire toutes les substances qui le composent, puis il faut l'aider dans l'entreprise consistant à les mettre ensemble.

Nous avons vu que l'ADN est constitué de deux brins exactement jumelés, dont chacun est le « miroir » de l'autre selon la règle très précise que l'on vient d'énoncer : devant A, il y a T, et *vice versa* ; devant C, il y a G. C'est comme une échelle de deux brins torsadés de manière très précise : si l'on détord le brin, on découvre qu'il est comme une très longue échelle qui, ouverte en deux le long des deux longs brins qui la composent, transforme chaque brin en un peigne dont la colonne vertébrale est formée de molécules PD placées l'une après l'autre, tandis que toutes les dents du peigne sont les barreaux de l'échelle.

Mieux : chaque dent du peigne est seulement un demi-barreau de l'échelle, parce que l'ADN est comme deux peignes alignés face à face, les dents de l'un attachées à celles de l'autre, selon la règle très précise qui veut que tout barreau de l'échelle ne peut être qu'AT ou CG. Seul un des deux peignes complémentaires est utilisé pour faire une protéine donnée. L'autre demi-peigne construirait une protéine complètement différente. Chez les micro-organismes qui ont besoin que leur ADN soit très court pour rester petits, ce qui présente des avantages, il arrive que les deux peignes complémentaires soient employés pour faire des protéines différentes.

Voilà la manière qu'a inventée la vie pour écrire son manuel d'instructions afin de concevoir un enfant. Comme nous l'avons vu, le livre de la vie est écrit avec quatre caractères – A, C, G et T – disposés dans le chromosome en ordre précis ; un segment d'ADN est employé sur un seul des deux peignes complémentaires pour produire une protéine donnée, en mettant à profit l'information qui vient de l'ordre dans lequel apparaissent les quatre nucléotides. Pour favoriser cette traduction d'un segment d'ADN en une simple molécule de protéine capable d'assurer une fonction spéciale, la règle est la suivante : l'ordre des nucléotides dans l'ADN est traduit en ordre d'acides aminés qui forment la protéine, avec un dictionnaire spécial qui dit quel acide aminé correspond à trois nucléotides.

Pourquoi doit-il y avoir au moins trois nucléotides pour déterminer un acide aminé ? S'il n'y en avait que deux, nous pourrions produire à peine 16 acides aminés, puisque le produit de 4×4 lettres peut créer seulement 16 petits mots différents ($4 \times 4 = 16$). Peut-être aussi que, il y a quelques milliards d'années (la vie a commencé sur Terre il y a environ six milliards d'années), cet organisme vivant primordial se contentait de deux nucléotides et qu'il avait donc un dictionnaire plus simple que le nôtre ; mais, aujourd'hui, nous utilisons plus de vingt acides aminés, et nous avons donc besoin de trois nucléotides dans la langue parlée par l'ADN pour produire un acide aminé. Il y a un peu de gâchis, parce que, avec trois nucléotides, on pourrait spécifier $4 \times 4 \times 4 = 64$ acides aminés, mais la nature est économe : elle utilise les 64 combinaisons.

Pour un acide aminé très rare, qui s'appelle le tryptophane, on utilise seulement un triplet de nucléotides, tandis que les autres acides aminés sont produits avec plus d'un triplet, jusqu'à quatre, selon la quantité d'acides aminés nécessaire pour former un organisme avec peu de déchets. Et, merveille des merveilles, le dictionnaire de traduction nucléotides → acides aminés est pratiquement le même chez presque tous les organismes vivants, avec des exceptions très peu nombreuses pour quelques organismes très anciens pour lesquels on observe une différence pour, disons, un triplet seulement. Quelle autre preuve vous faut-il pour vous convaincre que tous les organismes vivants descendent d'un seul organisme vivant ?

Le dictionnaire génétique, le ribosome et l'ARN

Nous savons aujourd'hui que la traduction entre ADN et protéines, comme s'il s'agissait de deux langues, se fait par le moyen d'un dictionnaire, qui est appelé code génétique. Il est très simple :

il ne compte qu'une page, où l'on trouve la liste des 64 triplets d'ADN et les noms des 20 acides aminés. La traduction est confiée à une machine qui s'appelle ribosome, constituée de protéines et d'un dérivé de l'ADN appelé l'ARN. Les ribosomes sont très nombreux dans toutes les cellules.

L'ARN est très semblable à l'ADN : il y a essentiellement deux différences. Il a toujours quatre nucléotides, mais l'un de ceux qui est utilisé dans l'ADN, la thymine, est remplacé par une substance très semblable, qui s'appelle l'uracile. Et le sucre n'est pas D, désoxyribose, mais R, ribose. La différence entre les deux, comme nous l'avons déjà vu, est que le désoxyribose manque d'un atome d'oxygène, et que ce manque le rend moins réactif, c'est-à-dire plus stable chimiquement. L'ADN est le vrai patrimoine héréditaire, et tout changement héréditaire est dû à des erreurs de copie de l'ADN : les mutations. Il y a toutefois de très petits organismes, des virus comme ceux du sida ou de la grippe, qui ont un patrimoine héréditaire fait d'ARN et qui présentent donc bien plus d'erreurs de reproduction ; mais, vu qu'ils se multiplient très rapidement, le fait qu'ils meurent en plus grand nombre a peu d'importance : parmi les nombreuses mutations, il en est qui peuvent les aider à dépasser les nouvelles barrières défensives que produisent leurs hôtes. C'est ainsi que surgissent de nouvelles épidémies.

L'organisme vivant qui a un patrimoine héréditaire fait d'ADN utilise toutefois toujours l'ARN comme intermédiaire pour produire les protéines, selon l'ordre de fonctionnement :

ADN → ARN → protéines
↓
ADN

où la flèche verticale montre que l'ADN produit aussi d'autre ADN.

Nous fabriquons les protéines en partant de l'ADN, mais à travers l'ARN intermédiaire qui recopie fidèlement l'ADN, sauf pour le remplacement de T par U. La production de protéines a lieu dans de petites machines appelées ribosomes parce qu'elles sont constituées non seulement de protéines, mais aussi d'ARN. Néanmoins, les ribosomes présents dans toutes les cellules capables de se diviser, même en centaines de milliers par cellule, ne sont pas le seul équipement qui existe dans une cellule ; par exemple, il y en a certains qui font de l'ARN à partir d'ADN, et même certains qui copient l'ADN, permettant ainsi aux cellules et aux organismes entiers de se reproduire eux-mêmes.

Le programme contenant les instructions pour fabriquer un homme compte un peu plus de 3 milliards d'unités, c'est-à-dire de nucléotides. C'est pour cela que, pour comparer sa longueur avec celle d'un livre, j'ai choisi le plus long de ma bibliothèque, l'encyclopédie Treccani, qui compte environ 360 millions de caractères, environ huit fois moins que les nucléotides qui forment le génome que nous héritons d'un de nos parents. Les lettres de notre alphabet sont cependant six fois plus puissantes que chaque nucléotide, puisque ces derniers ne comptent que quatre lettres ; en multipliant par six le nombre de caractères de l'encyclopédie Treccani, on voit qu'elle contient une quantité d'information du même ordre de grandeur que notre ADN.

Un seul des deux brins d'ADN fabrique des protéines

Il est un fait qui risque de nous embrouiller : le fait que l'ADN est un brin double avec les bases des deux brins jumelées, selon la règle que les barreaux formés par le brin double ne peuvent être que AT ou CG. Comment peut fonctionner la règle qu'un triplet d'A, C, G, T correspond à un acide aminé, dans la synthèse des protéines ? Nous pouvons remédier à ce risque de confusion en disant que, dans la synthèse des protéines, un seul des deux brins fonctionne. Lequel ? Il y a dans l'ADN de petites séquences qui donnent l'information. Le brin double doit s'ouvrir, et l'un des deux passe par le ribosome, la machine qui effectue la traduction en protéines. Il y a dans le voisinage, prête à l'usage, quantité de tous les acides aminés préparés de manière opportune pour être immédiatement insérés dans la future chaîne de protéines.

Pourquoi donc le brin d'ADN est-il double ? Gardons à l'esprit la complémentarité des deux demi-peignes, A en face de T, et G en face de C : un seul demi-peigne est utilisé, avec les demi-barreaux qui dépassent, dans l'ordre désiré pour produire une protéine déterminée. L'autre demi-peigne ferait une autre protéine. Les bactéries – qui sont très petites et qui ont des problèmes de place pour tout l'équipement dont elles ont besoin – peuvent utiliser les deux brins, et elles le font en synthétisant des protéines complètement différentes, qui sont toutes employées ; mais les cellules des organismes supérieurs ont assez de place, et en réalité elles emploient un petit pourcentage de leur ADN pour produire toutes les protéines dont elles ont besoin.

Le double brin d'ADN a cependant une autre fonction fondamentale : il nous explique comment copier l'ADN, ce qui est le deuxième devoir de cette molécule extraordinaire. La démonstration est apportée par une figure qui parle presque d'elle-même : le double brin est ouvert à une extrémité par une autre machine qui copie les deux brins originaux en produisant deux brins doubles d'ADN, utilisant la règle habituelle d'A en face de T et de G en face de C (Fig. 5).

Figure 5. Une double hélice d'ADN qui se reproduit en créant deux hélices doubles identiques à celle de départ. La reproduction a lieu au moyen de la formation de nouveaux brins parfaitement complémentaires de ceux de l'ADN original : A en face de T, C en face de G.

5

Les quatre piliers de l'évolution

Mutation

La génétique moderne appliquée à la théorie de l'évolution a permis de reconnaître quatre facteurs évolutifs principaux : la mutation, la sélection naturelle, la dérive génétique et la migration. Les noms de quatre généticiens que j'ai très bien connus sont attachés à la fondation de cette science, dont le noyau principal remonte aux années 1910 et 1920 : je veux parler de Fisher, dont j'ai été l'assistant pendant deux ans, de Haldane, de Wright et, un peu plus tard, de Kimura.

Pour parler de mutation, cependant, nous devons revenir au laboratoire de Morgan, parce que c'est là que l'on découvrit que des changements héritables peuvent se produire de temps en temps, et que l'on commença à étudier la façon dont ils ont lieu. Il nous semble clair, aujourd'hui, qu'il s'agit de changements de l'ADN, mais cet acide nucléique si important, qui contient les informations génétiques, n'avait pas encore été découvert. En tout cas, il devait y avoir une substance capable d'agir comme patrimoine génétique.

La mutation est un phénomène entièrement dû au hasard, qui advient avec une probabilité très basse et qui est donc très rare ; tant mieux si c'est ainsi, car les êtres vivants sont des mécanismes très compliqués, qui cessent de fonctionner de manière appropriée si on en change ne serait-ce qu'une toute petite pièce. Toutefois, de nombreuses mutations n'ont aucun effet nocif ; certaines donnent même un avantage dans l'adaptation au milieu. Nous pouvons donc revenir, maintenant que nous avons les éléments pour le rendre clair, au changement héréditaire, dont Lamarck et Darwin n'avaient pas pu comprendre grand-chose : l'évolution se produit justement parce que l'on observe des mutations, si utiles ou si dommageables qu'elles puissent être. C'est la sélection qui choisit, en favorisant automatiquement les mutations avantageuses et en éliminant celles qui sont défavorables par rapport aux conditions de vie de l'individu, puisque l'adaptation individuelle au milieu, qui donne la mesure de son avantage ou de son désavantage évolutif, dépend de sa capacité de survivre et de se reproduire. L'évolution est donc une meilleure adaptation continue aux conditions de vie, en fonction du milieu où l'on vit.

La mutation est donc spontanée et hasardeuse ; elle résulte de réactions chimiques que nous ne connaissons pas complètement et qui se produisent à l'intérieur des cellules. Nous savons cependant que certaines substances et certaines conditions augmentent la fréquence des mutations et peuvent les porter jusqu'à des niveaux dangereux. Parmi ces substances et ces conditions, les rayons X furent parmi les premiers identifiés : ils agissent sur la matière en provoquant des réactions chimiques anormales, surtout des oxydations qui perturbent facilement la nature chimique d'une substance, et particulièrement d'une substance délicate comme celle d'un organisme vivant.

Ce fut la grande découverte d'un élève et collaborateur de Morgan, Hermann Joseph Muller, le généticien qui mit au point une méthode pour mesurer les effets des rayons X sur le taux de mutations spontanées chez les drosophiles. On comprit ainsi que, si l'on irradie un organisme, ses descendants porteront un nombre jusqu'à cent fois plus élevé de mutations. Il s'agit d'une méthode très utile pour le chercheur, parce qu'elle permet de mieux étudier les mutations qui, quoique plus fréquentes, demeurent rares. En isolant les mutations produites par les radiations, on a la possibilité d'examiner bien plus de matériel que ce que l'on pourrait examiner en étudiant seulement les mutations qui se trouvent dans la nature.

En plus des rayons X, il y a d'autres radiations qui ont un effet mutagène, comme les ultraviolets. Des substances mutagènes sont également contenues dans certains aliments, mais pour la plupart elles produisent des mutations à fréquence basse, et, tout compte fait, elles ne sont pas dangereuses. Le premier exemple de substance chimique à action mutagène fit beaucoup de bruit, mais au début il n'était pas vraiment préoccupant. La réalité est que, par chance, les effets mutagènes sont toujours très modestes, et si répandus qu'il nous suffit de connaître les substances et les conditions les plus dangereuses pour les éviter attentivement, en prenant les précautions nécessaires et possibles. Dans la première moitié du siècle dernier, les radiologues ne prenaient pas les précautions qu'ils prennent aujourd'hui ; j'en ai connu qui ont perdu des parties de leur corps. Radiologues et patients sont aujourd'hui bien protégés. L'induction de mutations au moyen de la radiation est devenue utile, parce qu'elle a permis aux éleveurs et aux cultivateurs de créer des mutations sur la base des modifications qu'ils désirent produire. Sans attendre l'apparition de l'orange merveilleuse, par exemple, on va produire une orange qui présente au moins les qualités précises que l'on souhaite. La technique a produit beaucoup de ces mutants.

Sélection naturelle

La sélection naturelle est le choix du plus adapté, et elle est absolument ciblée. Le fait que les animaux continuent à mourir avant d'arriver à procréer et que seul un petit nombre d'entre eux parviennent à se reproduire indique que ceux qui sont restés en vie sont plus à même de survivre et de faire survivre l'espèce. Aujourd'hui, les différences de mortalité et de fécondité entre individus de notre espèce sont minimes, mais dans le passé elles étaient bien plus importantes, et, si l'on considère les petits animaux comme les insectes, on voit qu'il doit encore naître bien plus d'individus pour que soit atteint le nombre nécessaire pour faire survivre l'espèce. Cette mortalité élevée que l'on observe chez beaucoup d'animaux est due à la limitation des ressources disponibles. Elle a été l'un des principaux motifs qui ont poussé Darwin à proposer l'idée que l'évolution serait dirigée par la sélection naturelle. La mutation aussi est importante, mais elle tient au hasard, c'est-à-dire qu'elle ne vise pas nécessairement à produire des individus plus adaptés. Puisque les milieux de vie changent continuellement, le fait que les mutations dépendent du hasard par rapport à leur potentiel d'adaptation peut presque apparaître comme une « sagesse » de la nature.

La sélection naturelle est la conséquence de la diversité des probabilités de survie de l'individu et de la diversité de la fertilité des individus. La mesure de la sélection naturelle de caractères héréditaires isolés, c'est-à-dire de la capacité d'adaptation, se calcule sur la base de la probabilité de survie des porteurs du caractère et du nombre d'enfants qu'ils ont par rapport au reste de la population. Ce sont deux statistiques que l'on peut calculer, en théorie, pour tout caractère particulier, pour en mesurer l'adaptation et conclure s'il est affecté par une sélection naturelle qui tend à avantager ou à désavantager les porteurs. Il faut faire attention et bien s'assurer de l'hérédité du caractère. Des changements de toute la population dans le temps ou des différences dans l'espace ne sont pas nécessairement des indices de sélection naturelle. Un exemple intéressant est l'augmentation de la taille moyenne, spécialement parmi les Européens du début du XIXe siècle, avec une rapidité toujours croissante. On peut se demander, alors : est-ce un fait de sélection naturelle, c'est-à-dire qu'un individu plus haut que la moyenne survit davantage et a plus d'enfants ? Dans ce cas, la réponse est négative. Il y a aussi de forts effets de milieu, et la raison de l'augmentation de la taille est probablement à chercher dans un changement continu du milieu qui nous entoure. Le recours à des vitamines a certainement joué un rôle. Il y a de vieilles expériences sur les poissons qui montrent un effet de la lumière ; il se pourrait bien que nous vivions dans un milieu où la lumière alentour augmente sans relâche. Au début du siècle dernier, ma mère, pour avoir son diplôme, étudiait la nuit, à la lampe à pétrole, qui n'était pas très puissante.

Si l'on veut mesurer l'adaptation d'un caractère quelconque – qu'il s'agisse de la couleur des cheveux ou de la myopie –, on fait des statistiques prenant en compte la probabilité de survie et le nombre d'enfants chez les individus qui ont ce caractère donné – des cheveux foncés ou blonds, des myopes ou des gens qui voient normalement – et on les compare avec le reste, ou même simplement avec la moyenne de la population. Ici, on peut calculer la valeur sélective (*fitness*), même si ce n'est pas facile et si, à vrai dire, cette valeur a été très rarement calculée avec exactitude, au point que nous ne pouvons pas dire si la variation de ces caractères héréditaires observée aujourd'hui est due à la sélection naturelle ou à d'autres causes.

Drift, *ou dérive génétique*

La mutation est hasardeuse mais le hasard et donc les lois de la probabilité ont aussi une autre fonction plus directe à l'intérieur du processus d'évolution. Mais qu'est-ce que le hasard ? La façon la plus simple de le comprendre, c'est de le simuler : par exemple en lançant une pièce en l'air et en observant combien de fois elle tombe du côté pile et combien de fois elle tombe du côté face lorsque l'on fait plusieurs lancers à la suite (ou bien en lançant plusieurs pièces en même temps). Observer les résultats de la roulette au casino de Monte-Carlo est une autre méthode possible. L'effet de hasard que nous voulons étudier dépend du nombre d'individus qui composent une population ; c'est un phénomène qui est appelé *drift*, ou dérive génétique, et il dépend du fait que toutes les familles ont un nombre différent d'enfants, de zéro ou plus. Beaucoup de familles n'ont pas d'enfants, non pas parce qu'elles ne veulent pas en avoir, mais parce qu'elles n'y arrivent pas ; si une famille n'a pas d'enfant et si un des deux parents est porteur d'une mutation rare, qui n'a peut-être jamais eu lieu avant, il est évident que cette mutation est perdue : c'est comme si elle n'avait jamais eu lieu. En revanche, si la même mutation advient chez un père de famille qui a beaucoup d'enfants, c'est un avantage initial pour cette mutation. Le hasard dépend alors de la variation du nombre d'enfants par famille.

Si l'on remonte en arrière, on arrive à une famille dont nous descendons tous : c'est la raison pour laquelle on parle d'Adam et d'Ève. Il y a environ 100 000 ans, nos ancêtres étaient vraiment peu nombreux, pas plus d'un millier d'individus. Aujourd'hui, leurs gènes, leurs variations génétiques, leurs mutants ne sont pas tous représentés ; certains ont disparu. Et cela nous permet de chercher à comprendre, en utilisant plusieurs gènes, jusqu'où on doit remonter pour trouver un individu unique duquel nous descendons. Nous arrivons ainsi aux chromosomes d'un Adam qui aurait vécu il y a 120 000 ans. Pour parvenir jusqu'à Ève, en revanche, nous devons remonter 170 000 ans en arrière, ce qui nous dit que l'âge de l'homme et plus encore celui du monde tels qu'on les a calculés sur la base du livre de la Genèse ne sont pas crédibles ; et cela nous dit, entre autres choses, qu'Adam et Ève n'ont pas pu se marier. Si l'on peut remonter à un seul ancêtre commun quand on étudie des mutations génétiques isolément, c'est seulement parce que, sur la base de l'observation d'une variante génétique, nous pouvons remonter jusqu'au moment où elle a pu apparaître. Plus nous étudions de gènes, plus nous pouvons remonter en arrière, mais, à un moment, nous nous arrêtons à un ancêtre commun qui avait déjà tous les caractères génétiques étudiés. Naturellement, ce travail ne peut se faire sur des généalogies complètes, qui n'existent pas, mais seulement sur la base de considérations statistiques ; il existe des moyens d'évaluer leur fiabilité.

Des populations peu nombreuses tendent à se différencier au hasard, c'est-à-dire à avoir des gènes différents seulement pour des raisons hasardeuses. Le *drift*, ou dérive génétique, n'est que la fluctuation statistique des fréquences d'un caractère héréditaire d'une génération à l'autre, et les fluctuations sont d'autant plus grandes qu'une population est plus petite.

Migration

Il y a un quatrième facteur évolutif, qui est la migration. Il faut penser que, pendant 50 000 ans, les hommes se sont reproduits de la manière dont le font aujourd'hui encore les Pygmées, que j'ai longuement étudiés : presque tous se marient à l'intérieur de la tribu, et quelques-uns, peu nombreux, s'en vont. Si c'est parce qu'ils se sont disputés trop violemment avec quelqu'un d'autre, ou si c'est parce qu'ils se sont trop mal comportés, ils chercheront à faire partie d'une autre tribu voisine, si tant est qu'ils y parviennent. Il y a une autre raison d'aller faire partie d'une autre tribu : épouser un de ses membres. Ce sont plus souvent les femmes qui quittent leur maison et se déplacent dans une autre tribu, mais cette règle connaît des exceptions. Si la dérive génétique tend à créer des différences génétiques entre deux tribus – d'autant plus facilement qu'elles sont numériquement plus petites –, même un peu de migration entre les tribus suffit à rétablir les différences entre individus d'une tribu, ainsi qu'à diminuer les différences entre tribus. Cette phrase recèle un concept important, que nous allons maintenant présenter.

La variation génétique

L'ensemble des différences génétiques entre individus est ce que nous appelons la *variation génétique* ; aujourd'hui, il est possible de la mesurer très soigneusement, car nous pouvons étudier tout l'ADN individuel. Toutefois, il coûte encore très cher d'étudier tout l'ADN, avec ses trois milliards de nucléotides d'un génome, et même six, parce que chaque individu a reçu un génome de trois milliards de nucléotides de chacun de ses parents. On étudie donc une sélection de nucléotides plus variables que d'autres, souvent appelés « marqueurs génétiques ». Rien qu'avec cent marqueurs, étudiés sur des protéines au lieu de l'ADN, nous disposions, il y a encore quelques années, d'un cadre assez satisfaisant de la variation génétique. Aujourd'hui, nous atteignons une précision jusqu'alors inhabituelle en biologie, à condition de recevoir les financements nécessaires pour étudier l'ADN avec les méthodes nouvelles.

La variation entre individus peut être étudiée sur toute l'espèce, mais, si l'on veut en reconstruire l'histoire génétique, on doit examiner la variation génétique entre individus d'une même population, et répéter la même analyse sur d'autres populations. Mais qu'est-ce qu'une population ? Dans le monde d'aujourd'hui, il y a eu de grands mélanges, depuis que Christophe Colomb a découvert, en 1492, que le monde est plus grand qu'on ne l'imaginait et qu'il est possible d'en faire le tour. Depuis lors, l'énorme amélioration des moyens de transport a provoqué d'énormes mélanges, et, pour mieux comprendre l'histoire de notre espèce, il faut étudier des populations « aborigènes », c'est-à-dire, par convention, celles qui n'ont pas trop changé depuis 1492. On y arrive au prix de certaines difficultés ; si l'on veut une population aborigène, la langue parlée peut nous servir de guide. Aujourd'hui, environ 6 000 langues sont parlées dans le monde : elles constituent un guide imparfait, mais bien utile.

On pourrait étudier la variation linguistique avec des méthodes semblables à celles qu'on utilise en génétique. On peut calculer une variation entre populations et la subdiviser en groupes, et créer ainsi un arbre qui aura probablement un sens historique, et nous aidera à construire des familles et des superfamilles comparables à celles déjà créées.

Nous avons mené une tentative qui pourrait avoir besoin de linguistes s'intéressant aux statistiques (ou de statisticiens avec une passion pour la linguistique), mais, pour des raisons accidentelles, le projet est à l'arrêt. Naturellement, le programme présente l'intérêt de permettre une comparaison rigoureuse avec l'arbre génétique et avec l'archéologie, pour nous aider à mieux comprendre les 60 000 dernières années d'histoire de l'homme.

Nous sommes naturellement encore loin d'avoir une variation génétique entre populations assez élevée pour que les différences soient telles que l'on puisse employer le mot de « race ». Darwin déjà notait que les races humaines sont difficiles, sinon impossibles à reconstruire, parce que la variation génétique humaine est géographiquement très continue. Et, de fait, Darwin ajoutait que les vrais anthropologues « n'arrivent pas à se mettre d'accord et [qu'ils] ont proposé des nombres de races très variables, entre deux et soixante ». Il y a à cela deux bonnes raisons : la variation entre populations est très petite, puisqu'elle est de 11 % de la population totale (valeur plus correcte que celle qui avait été obtenue il y a quelque temps sur les protéines, qui était de 15 %). C'est la valeur la plus basse de toutes les espèces de mammifères étudiées. Les raisons sont claires : l'évolution entre populations humaines est très récente, et la grande diffusion à travers le monde s'est opérée, nous le verrons, en très peu de temps. En outre, l'adaptation de notre espèce aux nouveaux milieux habités après la diffusion récente s'est faite par la voie culturelle, sans attendre l'adaptation génétique, qui est très lente. Par exemple, pour l'adaptation au froid, le feu d'abord et le radiateur ensuite ont été beaucoup plus vite que ne l'aurait fait la croissance du poil.

6

L'évolution humaine

La dérive génétique de l'homme

Jusqu'à récemment, l'étude de l'évolution humaine reposait essentiellement sur du matériel paléoanthropologique, au reste assez maigre, constitué de crânes fossiles. Dès mon jeune âge, j'avais l'idée qu'il était possible de reconstruire l'évolution humaine sur la base des données génétiques, en étudiant les populations actuelles. D'habitude, la distance génétique tend à augmenter avec le passage des générations, et je pensais que cela pouvait nous donner des indications utiles pour situer certains moments historiques particuliers, comme celui où l'homme a traversé l'océan Pacifique pour rejoindre l'Asie ou l'Amérique.

Je suis d'abord un expérimentateur, et je faisais de la génétique des bactéries, ce qui signifie que j'élevais mes bactéries et que, quand je trouvais des résultats étranges, je répétais l'expérience pour vérifier si ce résultat se maintenait. Quand je supposais que cette donnée pouvait être due à quelque chose de spécifique – disons, à la présence d'acides –, j'essayais d'ajouter des acides et je regardais ce qui se passait. C'est le grand avantage dont bénéficie l'expérimentateur : il peut manipuler, répéter, revoir quand il n'est pas sûr, et surtout modifier à volonté les conditions où se déroule un phénomène, ce qui lui donne la possibilité d'en découvrir les causes. Dans les événements de l'Histoire, il est évidemment impossible d'en faire autant : nous ne saurons jamais ce qui aurait eu lieu en Italie si, par exemple, il n'y avait pas eu Mussolini, du moment qu'il ne nous est pas permis de répéter l'expérience sans Mussolini.

Quelle est alors l'espérance du chercheur ? Trouver des ressemblances entre des processus connexes qui se déroulent sur des territoires semblables et voisins. Cette procédure est pratiquée très régulièrement. Ou bien, plus neuve et plus utile, et plus proche de la répétition d'une même expérience : l'observation de ce qui se produit dans le même processus historique dans des domaines connexes, qui, d'ailleurs, peuvent être la cause ou la conséquence du processus historique principal étudié. Je suis convaincu que la recherche multidisciplinaire du même phénomène ou processus historique dans des domaines connexes, qui peuvent être cause ou conséquence des mêmes forces et des mêmes événements, présente une plus grande ressemblance avec le recours aux expériences de confirmation dans les sciences expérimentales. Il s'agit d'une méthode d'étude de l'Histoire que j'ai appliquée à ma recherche sur l'évolution humaine, en unissant la démographie, l'archéologie, l'anthropologie, la génétique, la linguistique et, mais encore assez peu, l'étude des phénomènes socio-économiques.

Mon maître, Sir Ronald A. Fisher, quoiqu'il fût assurément génial, était convaincu que la dérive génétique n'était pas très importante pour l'étude de la génétique humaine ; moi, au contraire, j'étais convaincu qu'elle pouvait être décisive, et j'ai commencé à l'étudier sur l'homme. Je me trouvais, par ailleurs, dans des conditions avantageuses, parce que j'avais un étudiant prêtre (Don Antonio Moroni) qui m'avait parlé de documents humains particulièrement intéressants qui m'auraient permis de reconstruire les généalogies de la Val Parma[1] en remontant jusqu'à 1500, et d'étudier ainsi la variation du nombre d'enfants entre familles et les échanges migratoires entre villages. Ces documents étaient les livres paroissiaux, qui contiennent les listes des mariages, des naissances et des décès. Au prix d'un peu d'efforts, on peut étudier les migrations, c'est-à-dire tous les faits fondamentaux de la démographie et, avec elle, de l'évolution génétique. Je me rendis compte que la distance génétique entre les villages augmentait régulièrement avec la distance géographique, exac-

1. La « Val Parma » est la vallée du Parma, un torrent qui traverse la ville de Parme et qui se jette dans le Pô. [Note du traducteur.]

tement comme on pouvait s'y attendre en raison de l'équilibre qui s'établit entre la dérive génétique due au petit nombre d'habitants de chaque village, qui augmente la variation génétique entre leurs populations, et les échanges matrimoniaux entre villages voisins, la migration, qui, elle, tend à la diminuer.

Ce fut là mon premier travail de génétique humaine ; nous recueillîmes des échantillons de sang à l'église le dimanche, avec l'aide précieuse de Don Moroni et d'un de mes étudiants, Franco Conterio, qui devint ensuite professeur d'anthropologie à Parme. La seule variation génétique sûre que l'on pouvait étudier alors était celle des groupes sanguins. La conclusion s'imposa clairement : la variation génétique était presque nulle dans les villages et dans les villes de la plaine, moyenne dans les collines et très élevée dans la région montagneuse, en fonction aussi des dimensions des villages et donc de la variation génétique attendue du fait de la dérive génétique (elle-même altérée par la migration entre villages).

Il y eut une autre recherche, plus ambitieuse : une simulation menée à Pavie avec Gianna Zei. Nous construisîmes une population artificielle de 5 000 individus avec une démographie très semblable à celle, réelle, de la région de la haute Val Parma, où nous avions trouvé la variation génétique la plus élevée. Les dimensions des villages et les migrations entre villages et avec les villages voisins (très basses) étaient connues grâce à l'étude menée sur quatre siècles de livres paroissiaux. La variation génétique fut calculée en partant de valeurs égales dans les villages : elle était donc nulle au début et augmentait régulièrement pendant trois cents ans jusqu'à une stabilisation sur les valeurs d'équilibre, qui étaient très semblables à celles que nous avions vraiment observées.

D'ailleurs, nous avons eu recours à la même simulation pour comparer les pourcentages de mariages entre consanguins de degrés divers avec les pourcentages réellement observés, et nos résultats ne présentèrent qu'un écart réduit. La stabilisation de la variation génétique entre villages au cours de la simulation était due aux actions opposées de la dérive génétique, qui l'aurait augmentée indéfiniment, et de la migration, qui la faisait diminuer jusqu'à ce que la variation génétique rejoignît une valeur d'équilibre qui était très voisine de celle qu'on observait.

La conclusion fut que, dans la situation de la Val Parma, les seules causes d'évolution sont la dérive génétique et la migration ;

des deux, la mutation ne pouvait être observée sur des nombres aussi petits, car elle est de l'ordre de un pour un million d'individus.

De la sélection naturelle, on ne trouva pas trace, très probablement parce que la mortalité est très réduite dans la vie moderne et que la croissance de la population est modeste. Presque quarante ans plus tard, nous avons eu la confirmation, par une analyse de la population mondiale tout entière, que la variation due à la sélection naturelle tourne probablement autour de 10 % de l'ensemble des causes d'évolution et n'est pratiquement pas observable sur des nombres d'individus comme les quelques dizaines de milliers que nous avions étudiés dans ces recherches.

Il s'agissait toutefois d'une région réduite, même si les conditions variaient beaucoup entre plaine et montagne. Cinquante ans plus tard, j'ai pu répéter une expérience semblable à l'échelle du monde entier : avec l'aide d'un grand nombre de collègues, il fut possible de procéder à une collecte d'échantillons de sang, et donc d'ADN, de mille individus provenant de cinquante-deux populations aborigènes des cinq continents. Parmi elles, il y avait trois populations italiennes : des Sardes, des Bergamasques et des Toscans de la zone étrusque de la Toscane. Cette campagne s'est achevée en 2002 et, sous le nom de *Human Genome Diversity Panel*, elle a été mise à la disposition de tous les chercheurs dans un laboratoire parisien équipé pour conserver et distribuer les ADN. Plus de cent laboratoires dans le monde l'ont utilisée, en observant comme règle de publier toutes les données pour en permettre l'analyse. En 2008, à Stanford, nous sommes parvenus à étudier les 1 000 individus de la collecte avec 650 000 nucléotides connus pour être variables dans notre espèce ; nous avons de nouveau trouvé que la grande majorité de la variation était due à la migration et à la dérive génétique, comme le démontre le fait que la distance génétique entre les populations, prises deux par deux, est presque parfaitement prévisible en fonction de la distance géographique qui les sépare, qui est une cause importante de la migration entre elles. On peut affirmer, sur la base de nos données, que seulement 10 % ou environ (au maximum 20 %) des différences entre populations peuvent être dues à des différences de sélection naturelle. Avec le matériel obtenu, nous avons pu étudier ces différences en détail.

Le principe est que, souvent, au cours du processus évolutif, une population initiale se divise en groupes qui, progressivement, vont occuper des régions diverses et qui évoluent indépendamment les uns des autres, en se différenciant toujours davantage. Les études archéologiques et génétiques montrent clairement que la première scission de l'arbre de l'évolution humain s'est produite en Afrique et qu'elle a commencé il y a 100 000 ans : d'abord se sont séparés certains groupes qui vivent encore en Afrique ; puis, il y a environ 60 000 ans, une petite tribu africaine s'est répandue dans le monde entier. L'homme moderne est donc né en Afrique, et par la suite il s'est répandu sur le reste de la Terre.

Nos lointains ancêtres

Pour trouver le plus récent ancêtre commun à l'homme et à son cousin le plus proche, le chimpanzé, il faut remonter très loin en arrière, au moins 6 millions d'années ; pour rencontrer une branche évolutive qui nous conduise à un parent un peu plus éloigné, le gorille, on remonte à 8 millions d'années ; et, avec l'orang-outan, on arrive à 13 millions d'années.

Dans sa longue histoire, qui date de 5 milliards d'années, notre planète a été secouée par des crises répétées dues à l'arrivée de météorites de l'espace, dont certaines ont entraîné des situations extrêmement dangereuses, perçant la croûte terrestre, qui est relativement fine, et ouvrant une brèche permettant la sortie de la matière incandescente qui se trouve dans le noyau. Ainsi se créèrent des volcans qui entraînèrent une profonde altération du climat et de la forme de la Terre.

La dernière crise, très violente, a eu lieu il y a environ 63 millions d'années, quand une météorite est allée se planter sur notre planète. Des études récentes font supposer que l'impact s'est produit dans le golfe du Mexique, parce qu'on a découvert un énorme cratère près du Yucatan. L'éruption couvrit le monde d'une couche d'iridium – un métal très rare sur notre planète, mais très répandu dans les astéroïdes – que l'on trouve encore et qui nous donne des indications précises concernant les couches géologiques qui, invariablement, correspondent à une période reculée de 62-63 millions d'années. Sans cet événement dramatique, il est probable que notre espèce n'aurait jamais fait son apparition sur la Terre.

Suite à la crise, presque tous les dinosaures périrent, probablement parce que les bouleversements géologiques avaient fait disparaître les aliments dont ils se nourrissaient. Dans le cas des dinosaures herbivores, selon une recherche publiée par *Science*, les énormes incendies causés par la chaleur des éruptions auraient provoqué une augmentation du dioxyde de carbone dans l'atmosphère, empêchant la croissance des végétaux ; tandis que, dans le cas des dinosaures carnivores, la lave aurait tué une grande partie des petits animaux, ce qui empêcha les dinosaures de trouver la grande quantité de nourriture dont ils avaient besoin. L'extinction des dinosaures carnivores facilita le développement de leurs proies les plus communes, les mammifères, dont les dimensions commencèrent à leur tour à augmenter, jusqu'à égaler celles des dinosaures, comme c'est le cas des éléphants, ou même à les dépasser, comme le font certaines baleines.

La séparation du chimpanzé, qui mènera à notre espèce, eut lieu – comme presque tout, d'ailleurs, jusqu'à récemment – en Afrique centrale. C'est là que l'homme descendit des arbres et commença à marcher sur deux pattes. Cela libéra ses mains et lui permit de construire des instruments de bois, de pierre et d'os rudimentaires, qui, il y a 2 millions d'années, étaient déjà autrement plus compliqués. Le premier ancêtre considéré comme appartenant au genre *Homo* vivait il y a peut-être 2,5 millions d'années ; en raison de sa capacité de construire des outils, il est appelé *Homo habilis*.

L'histoire de notre évolution est riche d'espèces appartenant aussi bien au genre *Homo* qu'au genre précédent, *Australopithecus*, auquel appartient la fameuse Lucy, la femme d'il y a environ 3,2 millions d'années. Beaucoup de ces hominidés se sont succédé et parfois même superposés, ce qui rend inexacte la figure la plus simple de l'arbre de l'évolution et nous pousse à développer des techniques plus complexes, qui tiennent compte des croisements entre les branches. Cette recherche est aujourd'hui encore très active. En même temps qu'*Homo habilis*, on trouvait aussi, en Afrique, *Homo rudolfensis*, *Homo ergaster* et certaines espèces d'australopithèques. On a découvert très récemment deux squelettes d'hominidés datant d'entre 1,8 et 2 millions d'années dans les cavernes de Malapa, sur le site de Sterkfontein, en Afrique du Sud : ils pourraient apporter une contribution nouvelle à la reconstruction de l'évolution humaine. Il s'agit du squelette d'un enfant et d'une femme, presque complets et bien conservés, qui semblent placés à un niveau de l'évolution situé entre l'australopithèque et le premier *habilis* dont des ossements sont en partie conservés. Les découvreurs leur ont attribué le statut d'espèce et les ont appelés *Australopithecus sediba*, du mot qui signifie « source » ou « puits » en sotho.

Ce qui semble désormais certain, c'est que, il y a 2 millions d'années, est apparu *Homo erectus*, une espèce d'hominidé aujourd'hui éteinte appartenant au genre *Homo*, qui commença à occuper l'Ancien Monde. *Homo erectus* avait de bons instruments, caractérisés par une grande variété et une forte spécialisation, et son cerveau faisait le double de ses cousins, les grands singes. À cette époque, à l'usage des outils de pierre s'ajouta une autre innovation, fondamentale, qui représenta un pas en avant dans le chemin de l'évolution : la découverte du feu, qui semble pouvoir être datée d'il y a 1,7 million d'années. Le feu permettait de cuire les aliments, les rendant ainsi beaucoup plus sains – on mangeait alors la charogne d'un éléphant mort depuis deux mois –, et apportait une protection contre les bêtes sauvages pendant la nuit. Plus important pour notre propos, il permettait de supporter des climats plus froids (même s'il est vrai qu'en Afrique centrale aussi, où résidait *Homo erectus* avant son expansion, la nuit peut être froide). C'est alors qu'eut lieu l'expansion d'*Homo erectus* : d'Afrique, il arriva en Europe et en Asie, colonisant chaque partie du globe qui était directement reliée par la terre. Ces colonies ne maintinrent pas le contact avec les groupes d'origine, à cause de la faible densité de population. Avec le temps, des espèces complètement différentes se développèrent. Dans la partie occidentale du monde, selon certains anthropologues, *Homo erectus* s'est transformé il y a environ 1 million d'années en une autre espèce, *Homo ergaster*.

Le fossile européen le plus ancien est une mandibule retrouvée à Heidelberg, en Allemagne, qui semble remonter à 650 000 ans ; c'est pourquoi l'on parle d'*Homo heidelbergensis*. Dans le milieu froid et inhospitalier de l'Europe du Nord se développa une nouvelle espèce, bien adaptée au climat : l'*Homo neanderthalensis*. On a aussi un exemple d'espèce dans l'île indonésienne de Flores : l'*Homo floresiensis*, qui vécut jusqu'à il y a 13 000 ans, et qui mesurait un mètre de haut. Il y en a certainement d'autres qui ne nous sont pas connues, parce que ce genre de trouvailles n'est pas facile à faire.

Les espèces humaines ont continué à vivre de manière indépendante – plus ou moins au même endroit, en se propageant rarement vers d'autres lieux ; en chacune s'est produite une transformation continue avec une différenciation. Il y a eu une grosse simplification : toutes les espèces mineures nées hors d'Afrique ont désormais disparu, excepté la nôtre, et les descendants directs de ces ancêtres communs vivent encore dans le reste du monde, où ils se sont répandus avec une régularité notable, en commençant il y a 60 000 ans.

*La première grande expansion d'*Homo sapiens

Le plus grand changement physique advenu dans le genre *Homo* n'est pas la perte du poil, mais l'augmentation de la taille du cerveau, qui, à partir du chimpanzé, a été multipliée par quatre, pour se stabiliser, il y a 300 000 ans, avec *Homo sapiens*. D'après les archéologues, les os et le crâne de *sapiens* ne peuvent être distingués des nôtres aujourd'hui.

Les plus anciens hommes modernes correspondent au groupe ethnique actuel des Khoïsan. Si l'on observe la géographie de l'Afrique, on voit que, à partir du Mozambique, s'étend la chaîne montagneuse de la vallée du Rift jusqu'en Éthiopie : il est probable que, dans leurs déplacements, les *sapiens* privilégiaient le parcours de ce système de rift constellé de lacs et de forêts – sans aucun doute la plus belle région d'Afrique –, de manière à ne pas se trouver dans des zones de plaine, qui posent un problème pour la chasse et la cueillette.

La première grande colonisation mondiale commença il y a environ 60 000 ans et elle partit de l'Afrique orientale pour gagner toute la zone tropicale jusqu'au continent australien. Au cours de cette première expansion, qui dura 50 000 ans, *Homo sapiens* occupa le monde entier. Tout commença avec une population qui vivait peut-être entre Éthiopie et Kenya, il y a environ 60 000 ans, et qui devait avoir atteint le degré le plus sophistiqué de développement de l'humanité. En s'étendant avec une régularité extraordinaire dans le monde entier, les *sapiens* purent se multiplier ; s'ils étaient restés dans la petite région d'où ils étaient originaires, il n'y aurait probablement pas eu plus d'un millier d'individus, alors que, il y a environ 10 000 ans, la population humaine était forte de quelques millions d'individus, au terme d'une multiplication par mille ou même davantage. Il y a 11 500 ans, les *sapiens* étaient déjà arrivés au Chili, la bande de terre la plus éloignée sur Terre, en passant par le détroit de Béring.

Nous avons un modèle qui explique comment s'est déroulée cette première phase, où se formaient de petites colonies qui augmentaient ensuite en nombre jusqu'au niveau limite que permettaient les ressources alimentaires, limitées. Les *sapiens* étaient chasseurs et cueilleurs, et leur alimentation était constituée des plantes sauvages – herbes et fruits – et des animaux sauvages qu'ils réussissaient à capturer. Quand le territoire commençait à ne plus suffire à ses besoins alimentaires, un groupe se détachait, en quête de nouvelles ressources. Les chasseurs étaient toujours en mouvement, pour aller d'un terrain de chasse à l'autre : sans cette stratégie, les terrains pouvaient s'épuiser et mettre beaucoup de temps à se reconstituer. Ces mouvements étaient d'habitude le fait de groupes de cinq à dix familles – on les appelle des bandes de chasse ; ce fut probablement ces bandes qui, après avoir trouvé un nouveau territoire de chasse très intéressant, même s'il était lointain, s'y établirent et y créèrent une nouvelle colonie. Cela se produisit assez souvent, et ce fut, assez certainement, le mécanisme grâce auquel les chasseurs occupèrent le monde dans une période comprise entre il y a 60 000 ans et il y a 10 000 ans.

Néandertal et peut-être aussi *Homo floresiensis* ont probablement cohabité avec *Homo sapiens sapiens*, une sous-espèce des *sapiens* qui étaient arrivés en Europe il y a environ 46 000 ans. D'autres espèces encore plus rares apparaissent avec les progrès des études d'archéologies, mais elles ne durent guère. Par simplicité, nous éviterons, dorénavant, le redoublement du nom *sapiens*. Les hommes politiques que nous nous donnons ne donnent pas l'impression que nous méritions de nous appeler deux fois sages. Le site archéologique où *Homo sapiens* fut pour la première fois retrouvé en Europe, il y a environ cent cinquante ans, est Cro-Magnon, en France, et ce nom géographique est fréquemment utilisé pour le désigner ; toutefois, des doutes ont récemment été formulés sur l'âge de Cro-Magnon.

L'homme moderne a remplacé Néandertal – qui s'est éteint il y a 28 000 ans – en un temps relativement bref, et l'on a fait dernièrement des découvertes génétiques (et non archéologiques) très intéressantes, dont nous parlerons plus bas.

À la fin de cette première phase, il y avait certainement des zones surpeuplées qui devaient correspondre aux milieux les plus favorables, où se trouvaient les meilleurs animaux et les meilleures plantes. La pression démographique, empêchant la poursuite de la croissance, entraîna de nouvelles vagues de migration qui partirent de diverses parties du monde. À cette époque, il y a 12 000 à 8 000 ans, toute la Terre était peuplée de chasseurs-cueilleurs, qui se consacraient à l'économie de subsistance la plus ancienne, à savoir la consommation d'aliments cueillis ou chassés dans la nature : plantes, animaux et poissons. L'épuisement des ressources menaçait, mais *Homo sapiens* eut une idée remarquable : il commença à cultiver des plantes et à élever des animaux, les organismes locaux dont il se nourrissait. Cela se produisit surtout dans trois centres différents, de manière peut-être indépendante, car ils sont éloignés les uns des autres : le Moyen-Orient (le centre le plus ancien), la Chine et le Mexique.

Un autre grand saut : le système agropastoral

Il y a 12 000 à 8 000 ans, donc, commença la deuxième phase de l'expansion ; ce ne fut pas seulement, comme la première phase, une expansion géographique qui avait maintenu la densité de peuplement à un niveau égal et qui avait permis une croissance numérique parce que les nouveaux venus en surnombre avaient la Terre entière à leur disposition pour y habiter. C'était à présent une expansion démographique : elle a lancé une expansion géographique dans un territoire qui était déjà saturé d'humanité, et elle a pu le faire parce qu'elle avait trouvé le moyen d'augmenter la quantité de nourriture disponible. La densité de population pouvait donc augmenter au-delà de ce qui était le niveau de saturation tant que l'on vivait de nourriture prise dans la nature. On a donné à ces expansions le nom d'expansions *démiques* (*dém*ographique + géograph*ique*). La première grande expansion aussi fut certainement démique, mais elle se produisit dans un territoire non peuplé, ou bien dans un territoire où vivaient des espèces qui ont disparu sans laisser de trace génétique claire (nous verrons qu'il y a une exception, assez réduite, pour Néandertal). Quand le monde fut complètement occupé par des chasseurs-cueilleurs, dans certaines régions la pression démographique stimula l'introduction de nouveaux moyens de se procurer la nourriture.

Ainsi commença une nouvelle croissance démographique, rendue possible par la production de nourriture : celle-ci vint s'ajouter à la nourriture d'origine naturelle, qui avait permis la croissance numérique des tribus de chasseurs-cueilleurs. Une vraie révolution « culturelle », qui permit une nouvelle croissance démographique, considérable. Cette économie nouvelle prit le nom d'économie agro-pastorale : en effet, la production de nourriture fut rendue possible par la création des plantes cultivées et par les animaux domestiques dont *Homo sapiens* se nourrissait déjà, mais en se tenant jusqu'alors à ce qu'il trouvait dans la nature.

Il s'ensuivit un changement radical : l'augmentation de la quantité de nourriture permit une augmentation longue et constante du nombre d'êtres vivants, qui se poursuit aujourd'hui encore ; mais il y eut parallèlement un appauvrissement de la qualité de la nourriture, en raison d'une grave diminution de la variété, qui eut des conséquences médicales (lesquelles provoquèrent toutefois des découvertes importantes, comme celle des vitamines). Pour ce qui concerne les céréales, au Moyen-Orient on commença à cultiver le blé et l'orge sauvage, en Chine le riz et au Mexique le maïs. Ces aliments devinrent toujours davantage la nourriture fondamentale et parfois unique des populations locales ; chose qui aurait pu entraîner les conséquences dommageables d'une alimentation reposant sur un seul aliment. On réussit à éviter ce risque grâce à l'introduction de beaucoup d'autres plantes domestiques, qui permirent une alimentation diversifiée et donc plus équilibrée. Toutes les cultures agraires anciennes ont toujours eu recours à beaucoup d'aliments différents : les exemples les plus retentissants d'appauvrissement alimentaire se situent en Europe et, pour nous, Italiens, en Vénétie et en Lombardie, avec l'importation de nourriture d'Amérique, comme le maïs.

Aujourd'hui encore, le monde vit essentiellement des trois céréales que l'on a commencé à cultiver à cette date reculée : le blé, le riz et le maïs. S'agissant des animaux, au Moyen-Orient, on a domestiqué les bovins, les chèvres, les moutons et, dans une moindre mesure et plus tardivement, les chameaux ; en Chine, les poules et les buffles ; en Amérique du Sud, les lamas et les dindes.

Je crois que l'idée de cultiver les végétaux et d'élever les animaux est née, comme presque toutes les idées remarquables, dans des lieux particulièrement riches et développés, où la pression démographique et la densité de population étaient donc les plus élevées. Le nombre d'inventions doit être proportionnel au nombre d'habitants, mais il y a naturellement d'autres facteurs qui en déterminent le succès.

Inévitablement, les paysans se mirent à croître en nombre et commencèrent à se déplacer vers de nouveaux terrains, lançant une expansion lente, mais progressive. Les agriculteurs partis du Moyen-Orient se répartirent en Europe, dans le Sahara (qui n'était pas encore un désert) et en Asie occidentale du Nord et du Sud (Inde), emportant avec eux le blé, dont on peut suivre le parcours de manière assez précise grâce à l'archéologie. Le blé sauvage originaire se retrouve surtout au Moyen-Orient, et particulièrement en Israël, tandis que le blé qui fut transporté hors du Moyen-Orient a visiblement été modifié : des épis ont été sélectionnés dont les grains ne se répandaient pas et étaient plus faciles à récolter. (Les organismes génétiquement modifiés, OGM, qui ont été regardés avec tellement d'antipathie ces trente dernières années, existent donc depuis au moins 10 000 ans.) Aussi a-t-il été assez aisé de montrer que le blé, une plante insignifiante à l'origine, qui se trouvait au Moyen-Orient, s'est répandue à la vitesse d'un kilomètre par an – en même temps que les paysans qui le cultivaient – dans toute l'Europe puis ailleurs, et qu'elle est ainsi devenue l'un des trois aliments fondamentaux de l'humanité. Aux côtés du blé, l'orge avait une grande importance ; elle servait à la production de la bière.

En même temps que le blé, l'élevage de bovins et d'ovins se répandit en Europe. Cette grande expansion a donné naissance à d'autres expansions locales, du Moyen-Orient aux zones alentour, y compris le Sahara, et c'est justement dans le Sahara que l'on trouve de magnifiques peintures d'il y a 8 000 ans, où l'on peut voir représentés des bovins qui sont certainement des bovins d'élevage, parce qu'ils ont des taches noires qui n'existent pas dans la nature. Des peuples de pasteurs, qui pratiquaient un peu l'agriculture et qui se déplaçaient fréquemment, se développèrent surtout dans des zones semi-désertiques, particulièrement en Asie occidentale et dans le Sahara.

Nous avons des mesures de ces expansions, de même que nous avons des calculs concernant les durées des déplacements. Par exemple, dans les 50 000 premières années, pour aller de l'Éthiopie – qu'on retient arbitrairement comme l'origine de la grande expansion – jusqu'à l'Amérique du Sud, en passant par le détroit de Béring, un chemin d'environ 25 000 kilomètres a été parcouru ; ce qui signifie, en 50 000 ans, un demi-kilomètre par an.

En Europe, les paysans se sont toujours déplacés pour la même raison : pour conquérir de nouveaux terrains. Ils l'ont fait sur des périodes plus brèves, mais toujours au rythme d'un kilomètre par an, en commençant il y a environ 10 000 ans et en terminant en Europe du Nord il y a environ 5 000 ans. Toutefois, à la différence des chasseurs-cueilleurs, qui s'étaient répandus dans le monde entier entre il y a 60 000 ans et il y a 10 000 ans, les paysans, quand ils voulaient s'étendre, devaient entrer dans des terres déjà occupées, que les chasseurs-cueilleurs n'étaient certes pas disposés à leur céder sans résistance. Il y avait toutefois des différences d'intérêt pour les différents territoires : certains plaisaient davantage aux agriculteurs, d'autres davantage aux chasseurs. Là où dominait la forêt – et ce devait être la situation dominante en Europe –, les chasseurs trouvaient des terrains de chasse plus riches. Les paysans ne pouvaient occuper que lentement de nouveaux terrains dans les forêts, parce qu'il fallait commencer par abattre les arbres, et qu'il s'agissait d'un travail difficile ; ensuite, ils avaient encore besoin de temps pour se développer avec une densité relativement élevée sur des terrains limités. Aussi les rapports entre les deux sociétés ne furent-ils pas nécessairement mauvais. Le chasseur avait une densité de population d'environ 0,1 habitant par kilomètre carré, et même moins que cela, et se déplaçait continûment ; le paysan, même primitif, pouvait atteindre des densités de 10 à 50 fois plus grandes, et il avait intérêt à se déplacer peu et à créer ses terrains à proximité de sa maison.

Deux autres raisons facilitèrent la diffusion de l'agriculture : les chasseurs pouvaient devenir à leur tour cultivateurs, même s'ils considéraient cette vie comme plus dure et moins agréable. Les agriculteurs avaient avantage à avoir plus d'épouses, pour bénéficier de leur aide dans le travail des champs, et ils épousaient volontiers des femmes de chasseurs-cueilleurs. La polygamie était probablement répandue. L'étude des ADN transmissibles aux enfants, qui donne des résultats différents pour les hommes et pour les femmes (mitochondries et chromosome Y), nous permet de dire que, après l'occupation de l'Europe, les femmes étaient à 80 % des descendantes des premiers habitants, les chasseurs locaux, et seulement à 20 % des descendantes de ceux qui sont arrivés ensuite, les agriculteurs. La situation est quasiment inversée pour les mâles, qui descendent à 40-50 % des premiers habitants et pour le reste des agriculteurs. Ces observations concordent avec l'idée que les paysans étaient souvent polygames et qu'ils épousaient volontiers des femmes des plus anciens habitants.

Les différences entre les deux sexes suivent une règle qui maintenant encore est constante presque partout dans le monde. Socialement et économiquement, les paysans constituaient la classe supérieure. Dans les mariages mixtes, il était accepté que la femme accédât, à travers le mariage, à la classe supérieure ; l'homme, lui, n'avait presque jamais cette chance. Le lecteur pensera aux nombreuses considérations sur les aspects socio-économiques ainsi qu'éthiques de cette coutume presque générale. En faisant la moyenne entre les pourcentages des deux sexes, on conclut que la population actuelle – au moins en Europe, où a été menée cette recherche – descend pour environ un tiers des anciens chasseurs-cueilleurs, les sédentaires, et pour deux tiers des paysans. Manifestement, beaucoup de chasseurs-cueilleurs, les hommes et encore plus les femmes, ont appris, bon gré mal gré, le mode de vie nouveau qu'apportaient les agriculteurs.

7

Une espèce tyrannique : l'homme

L'âge d'or et la naissance de la propriété privée

La deuxième grande expansion de l'homme a commencé il y a en moyenne 10 000 ans. Elle a marqué, de manière variable selon les continents, le passage de l'économie de chasse et de cueillette à l'économie agropastorale, mais aussi le passage de la communauté des territoires de chasse à la propriété individuelle du sol cultivé. Elle est partie de quelques centres importants où a commencé la vie agropastorale.

À l'origine de la grande expansion et de l'invention de l'agriculture et de l'élevage, c'est-à-dire de la production en propre de la nourriture, il y a, nous l'avons vu, le fait que la population devenait trop nombreuse, et que les ressources ne suffisaient plus pour tous les hommes : situation qui a dû créer bien des heurts et bien des difficultés sociales, de nature à faire disparaître l'organisation précédente, qui était horizontale et égalitaire. La naissance de l'agriculture et de l'élevage a entraîné l'enrichissement relatif de certains. Ceux qui n'avaient pas de terre ne pouvaient pas manger ; pour eux, la seule possibilité pour se nourrir et pour nourrir leur famille était de devenir les serfs d'un propriétaire. Quant à ceux qui avaient des propriétés plus grandes, ils avaient besoin de gens travaillant pour eux. Au début, il s'est agi de l'épouse – ou des épouses –, mais avec le temps la propriété privée a créé, avec les rapports de soumission, les hiérarchies sociales.

On estime qu'il y avait entre 1 et 15 millions d'individus sur Terre à l'époque de l'introduction de l'agriculture. La nouvelle organisation requérait des systèmes politiques, notamment pour faire face à l'augmentation continue, quoique lente, de la population.

Nous savons que, il y a 8 000 ans, au Moyen-Orient, il existait déjà des agglomérations de plusieurs milliers de personnes, où tout le monde avait son champ hors de la ville ; inévitablement, une hiérarchie se créait, parce qu'il fallait quelqu'un pour prendre les décisions importantes pour la collectivité. Sans doute y avait-il déjà des chefs, en ce temps-là, même si, à une époque donnée, on ne constate pas de grandes différences de richesses entre les différentes maisons, du moins pas au début. En tout cas, les grandes hiérarchies, les empires, commencèrent il y a plus de 5 000 ans, au Moyen-Orient eux aussi. À cette époque débutèrent deux autres conquêtes culturelles qui eurent un fort effet socio-économique et qui augmentèrent l'importance de la hiérarchie et de la richesse.

La première fut l'usage des métaux : le cuivre, puis le bronze, et enfin, il y a 3 500 ans, le fer. Un peu plus tard arriva l'autre grande nouveauté, qui donna aux guerres une vive impulsion : la domestication du cheval et la possibilité de le monter, qui commencèrent probablement au nord du Caucase. Les Hittites les premiers, il y a environ 3 500 ans, profitèrent de ce savoir pour entrer en Turquie ; ils cherchèrent, sans succès, à conquérir l'Empire égyptien, apparu il y a 5 300 ans.

On peut aussi noter que le grand succès de la propriété coïncide avec l'introduction de l'écriture, qui eut à l'origine deux motivations puissantes et très concrètes – l'enregistrement des dettes et celui de la propriété agricole –, mais qui ne commença à se diffuser sérieusement qu'il y a 5 000 ans.

Dans la Grèce antique, on parlait de l'âge d'or, d'un monde éloigné plus beau et plus juste, que l'on regrettait. Nous ne savons pas à quelle époque vécurent, selon les Grecs, ces initiateurs de notre culture, ni pourquoi leur âge devrait être regretté ; mais on pourrait proposer l'hypothèse stimulante – même si elle doit être entièrement vérifiée – que l'âge d'or était conçu comme l'âge du chasseur-cueilleur, avant l'introduction dans notre civilisation de l'égoïsme, qui est lié à la propriété et aux hiérarchies sociales.

Si l'on observe les chasseurs-cueilleurs qui existent encore aujourd'hui, principalement parmi les Pygmées d'Afrique, on voit que leurs rapports sociaux diffèrent profondément des nôtres, pour la bonne raison que le chasseur-cueilleur est, essentiellement, un altruiste. Il évite activement de créer des hiérarchies sociales, et chacun d'eux se considère comme l'égal des autres. Pour nous qui vivons au milieu des hiérarchies, il s'agit d'une chose difficile à comprendre. Une explication partielle réside dans le fait que chasseurs et cueilleurs ont en propriété commune le territoire de chasse, mais n'en ont pas la propriété individuelle ; cela peut parfois entraîner des conflits, qu'il est assez facile d'apaiser du moment qu'il en va du bien de la communauté tout entière. Tout est fait en groupes de quelques familles, même si leur composition varie. La seule chose où l'on peut exceller, parmi les Pygmées, c'est la chasse, pourvu qu'on ne la considère pas comme la raison de bénéficier d'avantages économiques ou sociaux.

Dans les communautés pygmées, le grand chasseur s'appelle *ntuma*, mais tout son avantage consiste dans le fait que l'on parle de lui, précisément, comme *ntuma* : un titre honorifique, la reconnaissance d'une valeur. Cela n'implique pas du tout que, une fois la chasse terminée, il prenne plus que les autres ; la division est effectuée sur la base de règles très précises, qui permettent au chasseur qui a tué une bonne proie d'en choisir certaines parties, d'habitude les meilleures ; mais il s'agit toujours d'une division complète et plutôt équitable.

Ce devait être ainsi avant la deuxième grande expansion d'*Homo sapiens*. Le début de la propriété privée pourrait donc être datable du moment où, il y a environ 10 000 ans, l'économie de chasse et de cueillette fut abandonnée et où le système agropastoral fut introduit. Ce système se répandit lentement, à partir des centres où il avait commencé spontanément.

Les Pygmées : un exemple d'absence de hiérarchie sociale

J'ai beaucoup travaillé avec les Pygmées et j'ai pu constater que, chez eux, la propriété correspond au territoire de chasse et qu'elle est un bien commun qui est hérité dans le lignage, selon une règle très intéressante et très sage : en faisant aussi l'acquisition, avec le mariage, du droit de chasser dans le territoire d'une ou de plusieurs épouses (car les Pygmées sont polygames). Cet usage a évidemment l'effet d'élargir les territoires de chasse, dont le chasseur doit changer souvent, comme nous l'avons déjà dit, pour ne pas épuiser la faune. La sagesse de cette règle est aussi et surtout renforcée par une autre règle, qui recommande de « se marier loin », ce qui augmente les contacts sociaux, en plus d'augmenter l'ampleur géographique des territoires de chasse. Je n'ai pas d'éléments pour affirmer ou nier que cette règle obéit aussi à une autre motivation que j'apprécie beaucoup, en tant que généticien : les mariages entre consanguins augmentent la mortalité des enfants, d'autant plus que la consanguinité est plus étroite. Se marier loin augmente la probabilité que les enfants soient sains. On ne peut complètement exclure que le premier individu, naturellement inconnu, qui a établi cette règle avait compris le danger que faisaient courir les mariages consanguins : le génie apparaît peut-être avec la même fréquence, basse, dans toutes les sociétés.

Après quelques mois de chasse, les Pygmées se déplacent sur un autre territoire ; ce n'est certes pas toute la population qui se déplace ainsi, ce ne sont que les « bandes de chasse », plutôt réduites, constituées par un minimum d'une famille et un maximum de dix, quinze, voire vingt noyaux familiaux. Chaque famille dispose d'un filet pour emprisonner les animaux, et – même s'il existe certains types de chasses qui requièrent de gros groupes – le nombre minimal de filets nécessaires est de dix. J'ai vu parfois chasser avec seulement sept ou huit filets, mais c'est exceptionnel. Les chasseurs forment un très grand cercle avec les filets, puis deux ou trois d'entre eux se placent au centre et commencent à hurler pour effrayer les animaux, qui courent contre les filets.

Le chef ne compte pas, chez les Pygmées. Les « chefs » élus par les autorités locales doivent chaque fois se consulter pour prendre des décisions. Il y a entre les sexes une séparation très claire, qui donne à chacun des tâches et des occupations différentes, mais les hommes ne commandent pas aux femmes ; en substance, chez les Pygmées personne ne commande à personne. On peut se quereller, mais, quand quelqu'un se querelle de « mauvaise manière », on le renvoie. Il y a des personnes ou des groupes familiaux qui restent à couteaux tirés, et cela se voit fort bien aux cabanes qui, même quand elles sont voisines, se tournent alors le dos et présentent ainsi des entrées orientées dans des directions opposées. Un coup d'œil suffit, dans un village pygmée, à voir clairement les rapports d'amitié ou d'inimitié entre familles.

Il y avait un Bantou du Congo-Brazzaville qui a beaucoup travaillé avec les Pygmées et que j'ai appelé à Pavie pour qu'il collabore avec moi. Grâce à ses nombreux contacts, il avait été chargé par le gouvernement de regrouper les Pygmées, au moins occasionnellement, parce qu'ils étaient presque toujours éparpillés dans la forêt ; c'était la seule façon de communiquer avec eux. Le gouvernement lui demanda donc d'identifier un chef qui aurait servi d'intermédiaire avec les autres, et mon collègue bantou, qui était un missionnaire protestant, eut l'idée de proposer aux femmes d'en désigner un. Il y avait deux raisons à son choix : les femmes se parlaient et communiquaient mieux que les hommes ; en outre, une épouse n'avait aucun intérêt à voir son mari devenir chef, au contraire, pour elle c'était presque négatif, si bien que le choix ne serait pas fait de manière égoïste. Les femmes se mirent effectivement d'accord, après avoir comparé les vertus et les défauts de tel et tel, et la chose fonctionna très bien.

Il s'agit probablement d'une innovation récente et mineure parce que, du moins le temps que je suis resté aux côtés des Pygmées, il n'existait pas de vrais chefs dans les villages, dans les bandes ou dans les tribus ; il y avait des personnes qui, de temps en temps, prenaient des initiatives, qui circulaient pour organiser des réunions – très rarement de toute la tribu –, en commençant en général par des danses ou des concerts de musique chorale, parce que, même dans ce domaine, chez les Pygmées on fait tout ensemble, pour exclure tout rapport vertical.

L'espèce tyrannique

Nous pouvons parler de l'homme comme de l'« espèce tyrannique », capable à travers le temps d'une adaptation telle qu'elle lui permet de régner sans conteste sur la planète ; une domination de l'homme sur les autres espèces, une domination de l'homme sur la nature, et, enfin, une domination de l'homme sur l'homme. Une tyrannie faite de force physique, mais aussi d'intelligence, et d'une capacité évolutive purement culturelle qui, chez les animaux, n'est pas absente, mais est bien plus limitée.

Ce fut ainsi dès le début, quand les premiers *Homo sapiens* – il y a environ 50 000 ans – atteignirent l'Europe et rencontrèrent les Néandertal. Même si les deux espèces humaines partagèrent le même habitat pendant plus de 20 000 ans, le mouvement d'installation des *sapiens* se révéla irrésistible, au point que les anciens habitants furent repoussés sur les hauts plateaux inhospitaliers de Crimée et de Croatie, et aussi plus au nord ; ou bien, vers l'Occident, en direction de l'Italie, de la France, de l'Espagne et du Portugal. Ce fut un processus relativement lent, mais ces humains d'origine africaine ancienne, bien que plus fragiles et moins bien adaptés au milieu des habitants les plus anciens d'Europe, étaient culturellement plus avancés. Ils furent capables de mettre au point des stratégies de survie plus appropriées. Ils pouvaient disposer de harpons pour la pêche, d'aiguilles d'os pour coudre les peaux avec lesquelles ils se protégeaient du froid, mais surtout d'un langage beaucoup plus évolué, capable de permettre aux différentes communautés de s'organiser. Il y a environ 30 000 ans, les Néandertal, qui n'étaient plus que quelques milliers, s'éteignirent : des diverses espèces humaines qui cohabitaient sur Terre, il ne restait plus que l'*Homo sapiens*.

Une parenté entre sapiens *et Néandertal*

L'étude de l'ADN de Néandertal a commencé il y a peu. Elle est difficile parce que le seul matériau dont on dispose, ce sont des ossements, qui ont été manipulés pendant des dizaines ou des centaines d'années par des archéologues, des employés de musées et d'autres personnes encore. C'était donc un projet bien ambitieux que de distinguer l'ADN de Néandertal de l'ADN humain qui s'était mêlé à lui. Le Suédois Svante Paabo, qui dirige un gros institut d'anthropologie à l'Université de Leipzig, a entrepris ce travail avec courage. Il a réussi dans cette entreprise difficile. Il faut dire que, jusqu'à récemment, les anthropologues avaient considéré Néandertal comme un membre de notre espèce *Homo sapiens*. Mais les études de l'ADN ont révélé des différences assez fortes pour les contraindre à le considérer comme une espèce différente, *Homo neanderthalensis*, éteinte, comme toutes les autres espèces antérieures à la nôtre.

Néandertal habitait une aire bien distincte, l'Europe, ainsi que certaines aires adjacentes en Afrique du Nord et dans l'ouest de l'Asie. Il était donc clairement adapté à un climat plus froid. Quand commença la dernière glaciation, il y a 60 000 à 80 000 ans – glaciation qui, avec des variations, dura jusqu'à il y a environ 13 000 ans –, Néandertal était le seul hominidé à être présent en Europe et à s'étendre davantage vers le Sud et vers l'Est, avec le climat plus froid. Son système osseux le distingue assez nettement de nous : il était plus trapu et plus lourd, il avait un crâne plus grand, et donc aussi un cerveau plus volumineux, un front fuyant et un menton fuyant lui aussi. De sa vie culturelle, nous savons peu de chose. On a trouvé une flûte qui aurait pu lui appartenir. Il enterrait les morts, mais probablement pas de façon régulière. Il y a une région qu'il partagea avec *Homo sapiens*, mais peut-être pas en même temps : le Moyen-Orient. Nous avons fait allusion au fait qu'une grotte, en Israël, fut occupée il y a environ 100 000 ans par *sapiens*, mais, il y a entre 60 000 et 80 000 ans, à la période la plus froide, cette même grotte fut utilisée par Néandertal. Celui-ci disparut ensuite il y a environ 50 000 ans et, à la faveur d'un climat temporairement meilleur, *sapiens* réapparut au Moyen-Orient ; de là, il se diffusa, il y a 50 000 à 45 000 ans, dans toute l'Europe et dans l'Asie voisine.

Il y a très peu de temps, une information explosive a été révélée : Paabo et ses collaborateurs ont découvert qu'il y a eu un croisement entre *sapiens* et Néandertal, mais seulement entre des Eurasiens et leurs descendants les plus lointains et tardifs, comme des Amérindiens et des peuples océaniens, mais non africains. Ce croisement a créé une présence de quelques pour cent d'ADN néandertalien chez l'homme moderne, mais seulement chez celui qui est sorti d'Afrique. Le fait qu'il n'ait pas été trouvé en Afrique porte à croire que ces échanges ont pu se produire spécialement au Moyen-Orient au début de la grande expansion de l'Afrique vers l'Orient, il y a peut-être 60 000 à 80 000 ans. Des nouvelles aussi extraordinaires réclament une grande prudence, et le mieux est d'attendre que passe un peu de temps avant de vérifier en détail cette affirmation et ses conséquences. Il y a sans doute bien eu quelques croisements (dans quelle direction ?), mais il y a assez longtemps, quand était déjà advenue la séparation d'avec les Africains. Il se peut que nous ne réussissions pas à en savoir davantage assez vite. On dirait, étant donné la faible extension de l'ADN de Néandertal qui est entrée dans notre espèce, qu'il s'agit d'un cas isolé à une époque où les hommes modernes au Moyen-Orient étaient très rares. Ce mélange a probablement eu lieu il y a 50 000 à 100 000 ans : jusqu'alors, on voulait bien croire que *sapiens* et Néandertal avaient été tous les deux au Moyen-Orient, mais à des époques différentes ; toutefois, les sites archéologiques de cette époque sont si rares qu'on ne peut exclure tout à fait qu'il n'y ait pas eu d'autres sites habités en même temps. Le problème a de l'importance pour éclaircir des détails de l'expansion de *sapiens* de l'Afrique à l'Europe et à l'Asie, ainsi qu'à l'Amérique et à l'Océanie.

La trouvaille ne met sans doute pas en danger la décision faisant de Néandertal une espèce différente de la nôtre, parce que la règle selon laquelle il ne peut y avoir de descendance fertile issue du croisement entre des espèces différentes souffre beaucoup d'exceptions, par exemple chez une espèce de drosophile, où la descendance est fertile quand elle vient du croisement du mâle d'une espèce avec la femelle d'une autre espèce, mais non l'inverse.

Survies de l'âge d'or

Si nous considérons l'époque de la chasse et de la cueillette comme un âge d'or – une idée dont je ne sais combien de lecteurs la partageront –, la question est : qu'en reste-t-il, aujourd'hui ? Eh bien, il en reste quelque chose. Si nous considérons certains de nos passe-temps préférés, à nous, les êtres humains, nous voyons qu'il y a beaucoup de passionnés de chasse. La pêche aussi, la cueillette de champignons dans les bois, de fleurs dans les champs, de fruits mûrs, toutes ces activités ont bien des amateurs. Même les promenades les plus simples dans les bois ou dans de beaux endroits sont très agréables : or c'était là la vie de nos ancêtres, dans l'âge d'or supposé. Et, si l'une de ces activités nous plaît encore et qu'elle est même celle que nous désirons le plus, celle que l'on n'arrive à accomplir que pendant les vacances, alors l'expression d'« âge d'or » n'est peut-être pas privée de sens. Si cette survie de plaisirs passés, dont beaucoup d'entre nous sont encore épris, signifie vraiment que la vie à l'époque de la chasse et de la cueillette était plus agréable, au point de mériter le nom d'âge d'or, alors il y a une autre activité arrivée un peu plus tard dans notre histoire et qui plaît encore à beaucoup d'hommes : le jardinage. Est-il important au point qu'on puisse croire que l'époque qui est venue après l'âge d'or, c'est-à-dire l'époque de l'économie agropastorale, devrait être considérée comme un âge d'argent ? Le développement de l'élevage a accompagné celui de l'agriculture, mais je ne sais pas si suivre des vaches et des moutons au pâturage doit être considéré comme un sport amusant. Le cheval et le chien ont encore, sans doute, maints admirateurs. Naturellement, toutes ces considérations sont un peu vagabondes, mais nous pouvons bien dire que le développement socio-économique a entraîné un grand développement de l'amour pour d'autres « divertissements », comme le pouvoir, la richesse, la guerre et certaines formes de popularité acquises à des prix que presque aucune religion ne considère comme acceptables.

8

Archéologie et génétique

Les premiers arbres de l'évolution de l'espèce humaine

Quand j'ai eu l'idée de chercher à reconstituer l'archéologie génétique de l'homme, c'est-à-dire à reconstruire l'histoire de l'humanité à travers les gènes, je travaillais à Pavie avec Anthony Edwards, un jeune doctorant anglais qui avait obtenu son diplôme sous la direction de Fisher et qui était particulièrement bon en mathématiques. Il s'agissait de reconstruire un arbre généalogique des populations humaines en utilisant toutes les données génétiques connues, relatives aux peuples aborigènes des divers continents. Il y en avait bien peu. Pour chaque continent, on choisit trois populations les plus éloignées possible les unes des autres, parce que, si elles sont voisines, il est plus probable qu'il y a eu des échanges de gènes à travers des mariages, qui ont presque toujours lieu quand la distance entre lieux de naissance ou de résidence des époux est très réduite.

Nous réussîmes à identifier seulement 20 gènes différents chez les 15 populations. La première généalogie humaine que nous fîmes, en 1963, utilisait tous les gènes pour lesquels il y avait des données pour les 15 populations choisies ; on voyait des divergences dans la fréquence de l'apparition des divers types dans les diverses populations, par exemple le gène O des groupes sanguins A, B, O, qui varie de 50 % à 100 % selon la population. On dut inventer des méthodes pour mesurer la diversité génétique *totale* entre deux populations en additionnant tous les gènes connus. Pour reconstruire les arbres généalogiques, nous avons développé des méthodes statistiques qui, par exemple, permettent de commencer en reconnaissant les couples de populations les plus semblables entre eux, et de réunir de petits groupes déjà formés, toujours sur la base de la ressemblance réciproque, jusqu'à réunir en un groupe unique toutes les populations. Ou bien, à l'opposé, on divise l'ensemble des populations en deux groupes séparés par une distance maximale, qui présentent donc l'homogénéité intérieure maximale, en procédant ainsi jusqu'à l'obtention d'un arbre classificatoire complet.

Les deux méthodes donnaient des résultats très semblables, et on pouvait visiblement considérer qu'au sommet de l'arbre se trouvait la population ancestrale située au début de l'évolution de notre espèce. Les premiers sous-groupes qui se formèrent ainsi provenaient du même continent ; puis, en remontant vers le groupe ancestral, l'arbre réunissait les continents géographiquement les plus proches : l'Afrique et l'Europe, l'Asie et l'Océanie ou l'Amérique. Ce premier arbre de l'évolution de l'humanité a été rendu public au Congrès international de génétique de 1963, qui se tenait à La Haye. Il a été très bien accueilli par les participants, parmi lesquels on trouvait les plus importants généticiens de la population, y compris Fisher, Haldane et Wright. Dans ce même travail, nous avons construit un arbre de l'évolution fondé sur des caractères anthropométriques, qui montrait que les comparaisons entre populations étaient très influencées par la latitude, si bien que les deux continents les plus proches étaient l'Afrique et l'Océanie, toutes deux voisines de l'équateur. Dans l'arbre construit avec les gènes, ils étaient les plus éloignés. Ce résultat aussi paraissait très logique : l'anthropologie physique avait déjà démontré que presque tous les caractères mesurés sont très sensibles au climat.

Cette analyse fut reprise et répétée avec succès par beaucoup d'autres chercheurs, qui employèrent un nombre de gènes connus toujours plus grand. La seule différence fut la suivante : dans notre tout premier arbre, il semblait que la plus ancienne subdivision séparait l'Afrique et l'Europe de l'Asie, l'Océanie et l'Amérique ; plus tard, il apparut toujours plus clairement que la première séparation passait plutôt entre l'Afrique et le reste du monde. Le nombre de gènes que nous avions employés était très bas, mais avec les années on put en utiliser beaucoup plus. Dans le dernier arbre, réalisé en 2008, nous en avons utilisé 650 000. Ce ne fut que bien plus tard, dans les années 1980, que deux archéologues reconnurent, indépendamment l'un de l'autre et indépendamment des résultats génétiques, que notre espèce avait commencé à se développer en Afrique il y a 50 000 à 60 000 ans et qu'elle avait lentement augmenté en occupant par la suite le monde entier. Nous aurons l'occasion de reparler de cela par la suite.

Mitochondries et Ève africaine

Un grand pas en avant dans l'analyse des arbres de l'évolution obtenus avec des données génétiques fut publié en 1987 par Allan Wilson, de l'Université de Berkeley, avec la collaboration de Rebecca Cann et de Mark Stoneking. Les trois scientifiques firent l'analyse sur de l'ADN purifié extrait uniquement de mitochondries, qu'ils examinèrent presque gène par gène. On savait déjà que ces petites particules présentes par centaines de milliers dans toutes les cellules, responsables de la production d'énergie à partir des sucres, sont transmises par la mère, mais pour purifier l'ADN mitochondrial avec les méthodes de l'époque il fallait partir d'une grande quantité de tissu. Il parut très utile d'utiliser un placenta entier : 1,5 kilogramme de matière qui n'est disponible qu'après l'accouchement, et que, d'habitude, on détruit. Chercher à obtenir le placenta – par exemple, celui des Aborigènes australiens, qui bien souvent vivent et accouchent encore dans le désert – fut une entreprise qui réclama beaucoup de patience et de courage. Le groupe réussit à purifier l'ADN mitochondrial de 134 aborigènes provenant de tous les continents, à en étudier l'ADN avec des méthodes développées depuis très peu de temps et à employer les données analytiques pour créer un arbre de l'évolution. L'arbre était très semblable à ceux qui avaient été créés dans les vingt années précédentes avec des moyennes de gènes sur des populations entières calculées sur des protéines.

Les mitochondries étant transmises par les mères, il y avait naturellement, au sommet de l'arbre, une femme, et, naturellement, on l'appela « Ève ». Sa date de naissance fut calculée avec un gros intervalle d'erreur : elle serait née il y a 120 000 à 250 000 ans. Et comme elle vivait en Afrique, on l'appela « Ève africaine ». Certains commirent l'erreur d'en induire qu'il y eut une époque où existait une femme et une seule. Dans la première publication sur l'Ève africaine, la revue *Nature* prit bien soin de faire savoir clairement que ce résultat ne signifiait pas qu'il existait une seule femme à cette époque. Malgré cela, l'erreur se diffusa rapidement, à moins qu'elle ne se soit formée indépendamment à plusieurs reprises : pendant des années, j'ai rencontré des anthropologues et même quelques généticiens qui y croyaient encore. Naturellement, le prénom choisi semblait confirmer l'histoire racontée au début de la Bible, et cela augmenta sa popularité.

En réalité, il n'est sans doute jamais arrivé qu'une espèce ait pour origine un parent et un seul : ce qui arrive, c'est que l'arbre de l'évolution reconstruit remonte au premier individu qui avait les mitochondries dont descendent tous les êtres vivants aujourd'hui, que l'on identifie sur la base de toutes les mutations qui s'accumulèrent et qui ne se trouvent chez aucun autre aîné. En revanche, il est pratiquement certain que, à l'époque où vivait l'ancêtre commun, il existait bien d'autres individus dont les mitochondries furent perdues parce que tous leurs descendants sont morts. C'est une conséquence nécessaire du fait que, à toute génération, il y a beaucoup de familles sans descendants, qui sont donc évidemment perdus, et qu'il y a une grande variation dans le nombre d'enfants entre les familles qui en ont au moins un, prédisposant les types mitochondriaux représentés par un individu ou par quelques individus seulement à être perdus très vite dans les générations suivantes.

L'arbre des chromosomes Y

Cependant, il existe aussi un segment de chromosome entier, très petit, mais différent de celui des mitochondries, qui est transmis uniquement de père en fils, donc par ligne paternelle : c'est le chromosome Y, qui détermine si une personne est mâle ou femelle, et qui dit donc tout de la généalogie masculine. On ne connaissait pas de bons mutants, en ce temps-là : les mutants qui avaient fait l'objet d'études étaient peu fiables. Je commençai donc à chercher des mutants semblant correspondre *a priori* à un seul nucléotide, et qui en tout cas fournissaient des données aisément reproductibles.

Le travail sur Ève et l'ADN mitochondrial me poussa à voir si je réussissais à faire la même chose avec le chromosome Y. Il fallut travailler dur pour trouver de bonnes mutations – c'est aussi parce que les mutations se produisent plus rarement dans le chromosome Y que dans les mitochondries, et peut-être aussi que chez les autres chromosomes. À Stanford, j'avais deux excellents collaborateurs, Peter Underhill et Peter Oefner. Effectivement, l'arbre reconstruit est très semblable à celui des mitochondries, mais il est bien plus clair. Même avec le chromosome Y, le fondateur du lignage est en Afrique. La première branche sépara du reste du monde la plus ancienne population africaine, les Khoïsan (Bochimans et Hottentots, encore largement chasseurs-cueilleurs en Afrique du Sud).

La mutation responsable de la première ramification date de 103 000 ans. Il est bon de remarquer que la date où a eu lieu la mutation n'est pas nécessairement la date à laquelle se sont séparées les deux populations ; elle ne lui correspond que grossièrement, et de fait il est probable qu'elle soit postérieure. La deuxième branche sépare du reste du monde la deuxième population la plus ancienne, les Pygmées africains, qui sont aujourd'hui encore largement chasseurs-cueilleurs, comme la première branche, c'est-à-dire qu'ils vivent dans le système économique le plus ancien qu'ait connu l'humanité. Ils sont localisés surtout en Afrique centrale, et la date génétique de leur origine a été établie à il y a environ 80 000 ans.

Une des méthodes de datation les plus sûres consiste à trouver une situation où nous disposons d'au moins une datation archéologique et où nous pouvons la faire correspondre à la datation génétique d'une branche. C'est pour cela que nous avons choisi la troisième branche, qui mène l'homme moderne hors d'Afrique ; l'archéologie nous dit que cette expansion a eu lieu il y a environ 60 000 ans, ou peu après. Elle a été très rapide, presque comme une explosion partie du Moyen-Orient, le lieu le plus proche de l'Afrique, et elle s'est dirigée tant vers l'Europe que vers l'Asie, et, depuis cette dernière, vers l'Océanie et l'Amérique, en passant de la Sibérie à l'Alaska par le détroit de Béring. Dans le cas des expansions liées au passage de l'économie de chasse et de cueillette à l'économie agropastorale, c'est-à-dire dans le passage de la cueillette de la nourriture produite dans la nature à la production de nourriture – une évolution culturelle fondamentale plus récente, qui a eu lieu, en moyenne, dans les 10 000 dernières années –, il existe des dates plus précises. Il y a peu de différences entre les centres d'origine que l'on connaît géographiquement et archéologiquement au Moyen-Orient, en Chine et au Mexique, tous lieux à partir desquels la nouvelle économie s'est répandue avec une régularité et une rapidité que l'on peut calculer.

La fréquence de mutation du chromosome Y est plus basse que celle des mitochondries, et elle donne donc des résultats plus précis : il est difficile, avec l'Y, de trouver des cas où une même mutation est arrivée deux fois dans le monde – situation qui peut créer des incertitudes dans le travail de reconstruction de l'arbre. Au début de la construction de l'arbre de l'évolution du chromosome Y, on en a trouvé un seul exemple, et les deux positions dans l'arbre se distinguaient facilement. Après les trois premières mutations qui marquent les plus anciennes séparations en Europe, la population est devenue plus nombreuse, et la ramification, plus abondante, mais elle est restée claire. Notre travail de recherche de mutations a commencé en 1994 et il a été intense jusqu'en 2001, date où nous avons pu présenter la première carte géographique de l'expansion humaine. Puis eut lieu une réunion avec les autres laboratoires qui avaient commencé à unir leurs forces aux nôtres : tous ensemble, nous avons dressé une liste complète des mutations d'Y, qui indique très clairement comment notre espèce s'est répandue dans le monde, en commençant en Afrique, probablement en Afrique orientale (Fig. 6).

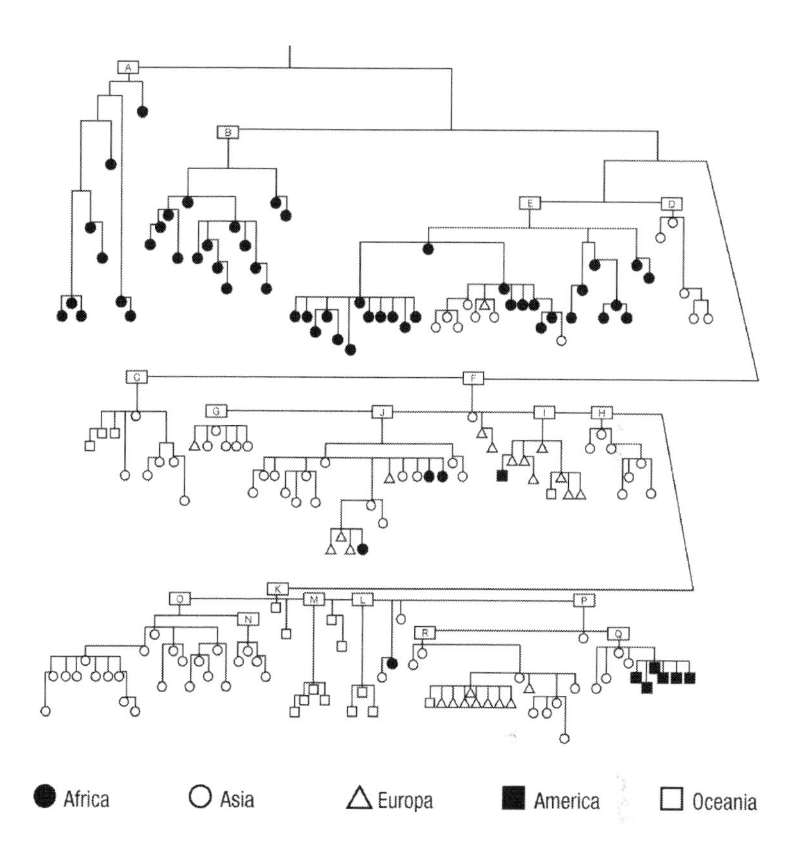

Figure 6. Arbre de la diffusion de notre espèce sur la planète, fondé sur la liste complète des mutations du chromosome Y. Comme on le voit, l'expansion a commencé en l'Afrique.

Possibilités offertes par les nouvelles méthodes d'analyse de l'ADN

On a accompli des progrès continus dans les méthodes d'analyse de l'ADN, et il est devenu possible de séquencer le génome de tout un individu. Le premier génome achevé grâce à ses méthodes révolutionnaires et publié fut celui de Craig Venter, en 2006. Les méthodes utilisées coûtent très cher, et nous n'avons pas encore appris à en mettre à profit les données autrement que de manière limitée. Toutefois, en 2002, avec un groupe de vingt collègues, nous sommes parvenus à rassembler, à mettre à la disposition de tous et à commencer à analyser l'ADN d'environ 1 000 individus originaires de cinquante-deux populations aborigènes dans cinq continents ; des individus dont les lymphocytes (les cellules du sang) avaient été cultivés en éprouvette pour fournir assez d'ADN, quand on en avait encore besoin de beaucoup. Cette récolte s'appelle le HGDP (*Human Genome Diversity Panel*), et on a pu la conserver à Paris, dans le laboratoire de la Fondation Jean-Dausset (prix Nobel pour la découverte du système immunitaire HLA). Aujourd'hui, de très petites quantités d'ADN suffisent ; mais ces cultures cellulaires pourront se révéler d'une grande valeur quand nous serons en mesure de mieux étudier le fonctionnement de l'ADN, c'est-à-dire la régulation de la fonction génique et de la synthèse de l'ARN et des protéines.

Les ADN de la collection ont été examinés par au moins cent laboratoires qui se sont engagés à rendre publics leurs résultats. L'effort d'analyse le plus grand a été réalisé par notre groupe de Stanford, qui a examiné 650 000 nucléotides présentant une variation génétique (appelée polymorphisme nucléotidique ou SNP, *single-nucleotide polymorphism*).

Peut-être que, parmi les résultats obtenus jusqu'à présent par les analyses les plus importantes du HGDP, le résultat général le plus intéressant concernant la diversité mondiale est une conséquence de l'expansion de l'espèce dans le monde entier dans une phase d'économie de chasse et de cueillette, c'est-à-dire jusqu'à il y a 10 000 ans : il s'agit d'une diminution étonnamment régulière de la diversité génétique entre les individus de toutes les populations. La diversité génétique entre individus est maximale en Afrique et elle diminue de manière presque parfaitement linéaire à mesure que l'on s'éloigne du point d'origine, où vivait probablement une tribu d'environ 1 000 individus qui commença à se multiplier.

Les nécessités de la vie sociale réclamèrent que l'expansion ne se fît pas de façon individuelle, mais en groupes : chaque tribu fondait d'autres tribus voisines, mais ensuite elle ne pouvait continuer à croître et à s'étendre, sinon en direction du terrain non occupé par les autres. Les tribus de chasseurs sont en général, encore aujourd'hui, formées de groupes d'environ 1 000 individus qui occupent une région plutôt vaste, parce qu'à des densités de population supérieures à environ 0,1 habitant par kilomètre carré la nourriture viendrait à manquer. La chasse est pratiquée par de petites bandes de chasseurs constituées de quelques familles et d'amis qui se déplacent sans cesse pour ne pas épuiser le gibier d'un territoire de chasse, et il faut donc que la tribu ait à sa disposition un territoire plutôt ample. Ainsi, de temps en temps, un petit groupe s'éloignait et pouvait décider d'établir une colonie indépendante.

Il y a 10 000 ans, le nombre de tribus de chasseurs – constituées, comme nous l'avons vu, d'environ 1 000 personnes chacune – pouvait être compris entre 1 000 et 15 000, et au fil du temps chaque tribu développa son propre langage, qui était toutefois assez semblable à celui des voisins les plus proches. À un niveau de densité de population compatible avec les ressources disponibles, une tribu occupait une étendue d'espace comparable à celle d'une région italienne. La fondation d'une tribu nouvelle dans le voisinage de la colonie mère était probablement effectuée par quelques bandes de chasse qui s'étaient éloignées, et cela causait un fort « effet fondateur », c'est-à-dire une dérive génétique due à la création de la nouvelle colonie par un petit groupe, formé qui plus est de personnes étroitement apparentées.

La petitesse du groupe de fondateurs d'une nouvelle communauté et la probable consanguinité ont provoqué une forte diminution de la diversité génétique à mesure que l'on s'éloignait du lieu d'origine de l'espèce ; on continue de le constater maintenant encore. L'effet fondateur ne pouvait que devenir plus important à la fondation de chaque nouvelle colonie toujours plus distante de l'origine. La série de colonies, qui augmentait en nombre à mesure que se poursuivait l'expansion, produisait une accumulation d'effets qui augmentait avec la constitution de chaque nouvel établissement. On pouvait s'attendre que l'effet fondateur d'ensemble devienne toujours plus fort avec l'éloignement de l'origine de l'expansion en Afrique ; on pouvait donc s'attendre que la variation génétique de chaque population continue à diminuer avec l'augmentation de la distance avec l'Afrique, et donc avec la création de nouvelles colonies. Et c'est exactement ce qui a été observé. La diversité génétique diminue à mesure qu'augmente la distance d'une population par rapport à l'Afrique : on a appelé ce phénomène l'*effet de fondation* sérielle (en série). Il s'agit, clairement, de l'accumulation d'effets de dérive génétique.

La régularité du phénomène est extraordinaire. Le phénomène s'est aussi maintenu parce que la croissance postérieure au début de l'époque agropastorale a facilité la conservation des effets de la dérive génétique initiale. L'agriculture a permis une augmentation numérique de la population et de sa résidence près des terrains. L'augmentation numérique de toutes les populations à l'époque agropastorale a congelé la diversité génétique initiale. C'est peut-être l'un des plus beaux exemples de la façon dont l'évolution des populations peut démontrer l'importance et la force de processus d'évolution, en l'occurrence la dérive génétique, ou *drift*.

9

Évolution de la culture et du langage

Évolution culturelle

Jusqu'au XVIIIe siècle, l'espérance de vie était de vingt ans ; aujourd'hui, elle est de soixante, voire de quatre-vingts ans. La mortalité a énormément diminué, grâce à la médecine moderne, qui a moins de cent cinquante ans. Jusqu'à il y a une centaine d'années, la mortalité dans la première année de vie était élevée ; elle était même très élevée dans le premier mois. Aujourd'hui, elle a beaucoup changé, mais la distribution par âges demeure la même ; dans ce domaine aussi, la médecine a beaucoup amélioré la situation, mais la première année de vie d'un enfant est toujours celle qui préoccupe le plus le médecin. Passé la première année, la mortalité commence à descendre, pour devenir très basse à l'adolescence.

Avant la diffusion des règles de l'hygiène, il y avait toujours toutes sortes de raisons de mourir jeune : par exemple, les femmes mouraient en couches. Même quand on a commencé à les faire accoucher à l'hôpital, la facilité avec laquelle elles pouvaient attraper des fièvres puerpérales et des septicémies constituait un risque grave. Avant 1850, l'obstétricien et le chirurgien ne se préoccupaient pas des risques de la contamination bactérienne, qu'ils ne connaissaient pas. Un chirurgien anglais appelé Joseph Lister introduisit l'usage des désinfectants et l'habitude de se laver soigneusement les mains avant toute opération ; il mit dix ans à se convaincre, mais ensuite il fut très efficace pour convaincre les autres, en tout cas en Angleterre, grâce à une récolte minutieuse de données et de statistiques qui montraient sans équivoque que, en observant ces précautions simples, le taux de mortalité diminuait de façon extraordinaire.

Aujourd'hui, l'espérance de vie moyenne a été multipliée par quatre par rapport au XVIIIe siècle. Que s'est-il passé ? On a fait des inventions bénéfiques qui se sont répandues dans la population. La cause dominante du changement héréditaire en ce domaine n'est plus la mutation génétique, mais surtout l'innovation, l'invention. Et, dans certains domaines, parmi lesquels la médecine, l'innovation et l'invention sont très puissantes ; sur des questions comme l'âge auquel on meurt, l'évolution biologique a largement cédé la place à l'évolution culturelle. La transmission de la culture n'est plus lente comme celle de Mendel. Une mutation bénéfique qui surgit chez un individu peut être transmise seulement à quelques enfants dans la génération suivante, et, pour que la mutation devienne très fréquente ou même qu'elle soit répandue dans toute une population, il peut falloir des centaines de générations, et donc des milliers et des milliers d'années ; mais la diffusion d'une bonne idée peut être très rapide, surtout que de nos jours les moyens de communication sont devenus très rapides. Nous sommes plutôt efficaces pour trouver des remèdes et des conditions avantageuses.

La production et surtout la vitesse de diffusion d'une nouveauté attirante sont aujourd'hui très élevées, même si le résultat n'est pas toujours nécessairement avantageux pour l'individu (c'est-à-dire qu'il n'améliore pas nécessairement l'adaptation au milieu en termes de sélection naturelle, qui est limitée à l'augmentation de la survie et de la fertilité). Il s'agit là, précisément, d'évolution culturelle, mais il ne faut pas commettre l'erreur de penser qu'un changement culturel et non biologique se soustrait à la sélection naturelle. Pour éviter cette erreur, il suffit de se rappeler un cas extrême : l'énergie atomique a aussi créé le danger de détruire notre espèce et beaucoup d'autres avec elle.

Donnons des exemples de la façon dont l'évolution culturelle a, largement, remplacé l'évolution biologique. Quand les hommes modernes parvinrent en Mongolie, il y a 30 000 ans, il faisait un froid terrible ; il serait passé beaucoup de temps s'ils avaient dû attendre que leur fourrure repousse – ils l'avaient perdue peut-être depuis 2 millions d'années, avec l'invention du feu. Le feu permettait de se réchauffer, de se défendre des bêtes sauvages, mais aussi de se brûler si l'on s'approchait trop des flammes. Au lieu de cela, les premiers Mongols prirent les fourrures des animaux, les coupèrent, les cousirent avec des aiguilles d'os et des fils faits de tendons, et avec ces fourrures ils se protégèrent du climat rigoureux en confectionnant les premiers habits. C'est un cas classique d'évolution culturelle. Il y a d'autres exemples de solution du même problème : des hommes qui s'étaient avancés dans la bande la plus septentrionale d'Amérique commencèrent à se construire de magnifiques maisonnettes faites entièrement de glace, où il faisait si chaud qu'on pouvait y vivre nu. Les iglous eskimos se sont révélés si fonctionnels qu'on en a construit jusqu'en 1960. En Sibérie, les hommes préférèrent vivre en groupes nombreux, et ils construisirent de grandes habitations faites de pierres, de peaux et de tout ce qu'ils avaient à leur disposition pour se protéger des précipitations et du froid.

Une évolution à la fois biologique et culturelle : l'intolérance au lactose

La capacité de maintenir la production de lactase, qui permet d'utiliser le sucre du lait – le lactose –, apporte une autre démonstration importante de la façon dont l'évolution culturelle a remplacé l'évolution biologique. Jusqu'à l'invention de l'élevage, les hommes, après le sevrage, arrêtaient de boire du lait ; comme tous les mammifères, ils perdaient alors la capacité de fabriquer la lactase, devenue inutile. L'énergie fournie par le lait vient en partie du gras qu'il contient, mais aussi du lactose : normalement, le lactose n'était pas ingéré, digéré et utilisé sinon chez les nourrissons, chez lesquels la lactase permet de le scinder en glucose et galactose, deux sucres que tous peuvent utiliser pour produire de l'énergie. Parmi les mammifères, dont l'homme, l'adulte ne boit pas de lait, mais le mammifère enfant, lui, en boit, et il produit donc de la lactase tant qu'il est allaité ; puis, quand il est sevré, il n'a plus l'occasion de boire du lait et perd la capacité de produire cette enzyme.

Nous avons déjà vu que la nature est très économe. Si quelque chose ne sert plus, elle cesse de le produire. Une mutation comme celle du gène qui régule la production de lactase se diffuse facilement. Il y a de nombreux cas de mutations tendant à détruire un caractère qui a perdu son importance : les animaux cavernicoles, par exemple, ont perdu la vue, même quand ils ont conservé la morphologie des yeux.

Les éleveurs commencèrent donc à boire du lait, qui constituait un aliment précieux dans les climats froids, mais cela leur causa de violentes douleurs au ventre, parce qu'ils étaient intolérants au lactose – exactement comme cela arrive aujourd'hui encore à beaucoup de gens. La nature a ainsi fourni une mutation capable de supprimer, chez la plupart des individus, le mécanisme qui induit la fin de la production de lactase au sevrage. Cette mutation est née dans l'Oural, parmi les éleveurs de rennes, et la tolérance au lactose a sans aucun doute eu un succès de sélection naturelle. En environ 6 000 ans, elle s'est répandue chez presque tous les habitants d'Europe du Nord, où il était nécessaire d'utiliser le sucre du lait pour supporter les rigueurs du climat.

L'acquisition de la capacité d'utiliser les calories du lait – extrêmement avantageuse pour la survie dans les climats froids – est une évolution culturelle qui, comme toutes les nouveautés, a eu ses avantages, mais a aussi représenté des coûts en termes de sélection naturelle. Beaucoup l'ont bien supportée, d'autres mal, parce que le lactose non transformé endommage l'intestin (intolérance au lactose). Il est même possible que quelques-uns y aient laissé leur peau, mais ils doivent être très peu nombreux. La nature fait ce qu'elle peut, mais les mutations arrivent par hasard ; si elles sont vraiment utiles, elles se répandent. Comment pouvons-nous dire que cette mutation particulière est arrivée précisément dans l'Oural ? Il suffit de regarder où elle se présente avec la plus grande fréquence. Une mutation avantageuse peut augmenter jusqu'à 100 %, et, si au même moment on observe autour d'elle des diminutions, c'est que, selon toute probabilité, elle a eu lieu précisément en cet endroit, et qu'elle peut être encore en phase d'expansion, au moins dans le domaine où elle est utile. Le même phénomène s'est déroulé dans d'autres parties du monde où les adultes consomment du lait, grâce à d'autres mutations indépendantes de nucléotides, toutes très proches sur le chromosome et voisines du gène de la lactase.

L'intolérance au lactose a été découverte par le clinicien napolitain Salvatore Auricchio, qui identifia les premiers cas au milieu du XXe siècle, mais le gène a été trouvé il y a quelques années par une scientifique finlandaise, Leena Peltonen, qui est récemment devenue la directrice du laboratoire Sanger, la plus belle institution anglaise en matière de génétique moléculaire. Elle est hélas morte récemment. La lactase est une protéine produite par un gène que l'on connaît bien. Le gène régulateur qui gouverne sa production au moment du sevrage est voisin du gène de la lactase sur le même chromosome, mais son mécanisme d'action n'a pas encore été éclairci. La mutation d'un seul nucléotide dans une région très petite, voisine du gène de la lactase mais ne faisant pas partie de lui, a cette fonction régulatrice de la production de lactase et inhibe l'apparition de lactase après le sevrage. En Italie, les personnes tolérantes sont assez fréquentes dans le Nord, mais dans le Midi et en Sardaigne, où l'on boit peu de lait, elles ne représentent que 20 à 25 % de la population.

Transmission culturelle

On peut définir la culture de beaucoup de façons. Je préfère la définition la plus générale : *l'accumulation globale de tout ce qui peut être appris par l'imitation ou par l'enseignement*, de la fabrication d'outils aux habitudes alimentaires, de l'écriture à l'ensemble des connaissances scientifiques, techniques ou artistiques qu'a acquises l'humanité depuis ses origines. Il s'agit d'un patrimoine énorme, formé d'une pluralité de contributions individuelles transmises au cours des siècles et des millénaires, modifiées et constamment enrichies ; une évolution culturelle que chaque génération enrichit avec son propre apport.

Du point de vue scientifique, pour comprendre l'évolution biologique, il faut comprendre la transmission biologique, qui concerne un patrimoine héréditaire presque immuable : le changement est dû à une mutation hasardeuse et spontanée qui donne à celui qui la porte un avantage sélectif. La transmission culturelle,

elle, peut arriver à tous, et elle recommence à chaque génération avec chaque individu. Quand on naît, on ne sait rien : tout ce que nous apprenons, nous l'apprenons parce qu'on nous l'enseigne ou parce que nous regardons, que nous écoutons et que nous imitons, ou bien parce que nous avons une idée nouvelle, mais cet événement est peut-être aussi rare que la mutation biologique, et les différences sont que, alors que la mutation biologique est hasardeuse et qu'elle peut être avantageuse ou non sur le plan de l'adaptation au milieu, l'invention, elle, vise à résoudre un problème qui, en règle générale, a été clairement perçu. Le changement biologique se produit dans l'ADN, le changement culturel dans le cerveau, et nous connaissons beaucoup moins bien ce second changement, quoiqu'il soit activement étudié par les neurobiologistes.

La transmission culturelle concerne donc seulement les caractères acquis durant la vie. Alors que la mutation de l'ADN change la physique et la chimique des individus, le changement héréditaire dans l'évolution culturelle est constitué d'une idée nouvelle ou d'une invention qui change leur façon de se comporter.

Darwin et Lamarck ne distinguaient pas évolution biologique et évolution culturelle. Lamarck, du moins, pensait que tous les changements qui se produisent dans la vie sont hérités. Aujourd'hui, nous avons des idées bien plus précises sur les mécanismes de la transmission qui, comme dans le cas de la transmission culturelle, permettent d'acquérir des caractères au cours de la vie tant par invention que par imitation et par enseignement.

La culture, exactement comme la mutation génétique, est un mécanisme d'adaptation ; mais les mutations génétiques se produisent rarement, chez un individu déterminé qui les passe aux enfants puis aux petits-enfants, jusqu'à ce qu'elles se propagent à travers les générations. Il faut beaucoup de temps pour que cela arrive ; dans le cas de la couleur de la peau, par exemple, il a fallu plus de 10 000 ans. Une nouveauté culturelle, au contraire, peut aujourd'hui se répandre dans le monde entier en une poignée de secondes. Dans la diffusion culturelle, en effet, ce ne sont plus les enfants biologiques qui comptent : les enfants peuvent être tous les hommes, dans tout le monde, puisqu'on appelle ici « enfants » ceux qui acceptent ou non une innovation. Naturellement, on trouve aussi des cas où l'invention naît en un certain lieu, mais ne parvient pas à se répandre assez dans le voisinage, et alors elle meurt. Par ailleurs, presque toutes les inventions importantes ont été faites plus d'une fois, et d'habitude la première fois elles n'ont pas eu de succès – pensons par exemple au téléphone et à Antonio Meucci[1].

Il y a aussi une autre différence fondamentale entre changements génétiques et changements culturels : la mutation génétique est hasardeuse, elle n'est pas dirigée vers un objectif précis, et elle peut être avantageuse ou désavantageuse en termes de sélection naturelle. Peut-être même y a-t-il plus de chances pour qu'elle soit désavantageuse, parce qu'un changement hasardeux chez un organisme vivant, qui est un mécanisme très complexe, risque plutôt d'être nuisible. Tandis qu'une idée nouvelle poursuit souvent l'objectif de résoudre un problème précis et se répand plus facilement si ses mérites sont appréciés. Mais elle a probablement aussi des coûts qui ne sont pas toujours prévisibles.

La transmission culturelle peut être beaucoup plus rapide que la transmission biologique, mais si elle ne se fait que des parents aux enfants elle peut être aussi lente que la transmission biologique. Il y a des idées nouvelles qui ne parviennent pas à s'affirmer parce que le groupe social y est opposé. L'effet du groupe social peut aussi être de maintenir très longtemps des traditions dont la vraie motivation a été perdue, comme la célébration des saints, parce que les cérémonies correspondantes demeurent attractives ou acceptables. La transmission culturelle la plus rapide est celle qui passe par l'enseignement professionnel ou par la contrainte de la part d'hommes de pouvoir ; une forme intermédiaire est celle qui dérive du charisme d'hommes politiques extrêmement dangereux qui obtiennent des positions de pouvoir, comme c'est arrivé récemment avec Hitler et Mussolini. Enfin, nous savons tous que la transmission des idées s'est accélérée avec le progrès des moyens de communication de toutes formes, et nous savons quelle influence cette accélération a exercée sur notre vie sociale et individuelle.

---

1. Antonio Meucci, 1808-1889, inventeur italien naturalisé américain, parfois présenté comme le véritable inventeur du téléphone. [Note du traducteur.]

Les deux évolutions

L'évolution biologique et l'évolution culturelle ont tellement d'aspects en commun, et surtout elles interagissent tellement l'une avec l'autre, que l'on parle souvent de coévolution biologico-culturelle. Il est des situations où il paraît simple de séparer l'aspect biologique de l'aspect culturel, comme dans le cas décrit précédemment de l'intolérance au lactose, qui, dans son évolution, présente des phases génétiques et des phases culturelles : il y a une évolution biologique – la perte de la lactase du mammifère adulte –, et il y a l'acquisition culturelle de l'usage du lait par des adultes, et seulement chez les éleveurs ; ainsi est née l'intolérance, et ici intervient de nouveau l'évolution biologique, qui occasionne une mutation qui rétablit la tolérance.

D'autres cas sont beaucoup plus compliqués : par exemple le cas – déjà mentionné en passant – de la taille moyenne, qui augmente depuis 1800, au point qu'on a aujourd'hui l'impression que les jeunes gens sont toujours plus immenses. Il ne s'agit probablement pas d'un changement génétique, sinon dans quelques rares cas, mais d'un changement culturel, qui dépend beaucoup de ce que l'on mange, vu que presque toutes les vitamines augmentent le poids et la taille de l'individu. On peut étudier l'effet du régime alimentaire chez tous les animaux, même si, chez l'homme, il est plus difficile de faire des études capables de produire des statistiques précises : on peut imposer aux autres animaux un régime alimentaire déterminé, en enlevant une vitamine à certains et en l'administrant à doses croissantes à d'autres, pour voir quelle a été la croissance respective des deux groupes ; avec l'homme, cela est très difficile, sinon même impossible. Certes, la donnée culturelle a une forte importance dans l'augmentation de la taille. Il y a aussi la possibilité que l'augmentation pratiquement biséculaire de la taille européenne soit due à l'augmentation de la lumière dans notre cadre de vie : cette hypothèse a pour elle un certain nombre de données biologiques portant sur des espèces très différentes de la nôtre.

Au sens strict, la génétique s'est occupée des caractères qui se comportent de manière mendélienne, qui sont donc dus à la manifestation très précise d'un gène, mais la plupart des caractères que nous voyons, surtout ceux de l'anthropologie physique, sont déterminés par beaucoup de gènes, dont la somme a parfois des effets compliqués. De la génétique appliquée à l'anthropologie physique, nous savons que ce qui détermine la taille doit être un minimum de quatre gènes (mais probablement beaucoup plus) en plus des gènes responsables de déviations extrêmes comme le nanisme et le gigantisme. Il peut en outre y avoir beaucoup de facteurs liés au milieu qui peuvent simuler ou du moins accompagner une évolution biologique, comme pour la taille. Par exemple, il y a presque cinquante gènes qui concourent à déterminer la couleur de la peau.

Naissance du langage

On suppose que l'apparition du langage s'est produite dans les six derniers millions d'années. Le langage est le moteur de l'évolution culturelle, et il est peut-être l'invention humaine la plus merveilleuse, bien qu'il soit ambigu et qu'il entraîne souvent des incompréhensions – dès lors que les concepts sont, sinon en nombre infini, en tout cas aussi nombreux que les étoiles, il est très improbable que le même mot veuille dire exactement la même chose pour deux personnes différentes. Aucun animal ne possède un mécanisme de communication de si grande valeur, et l'on peut affirmer avec certitude que le langage constitue la plus grosse différence entre l'homme et le reste des primates. Il y a une tendance à penser que c'est largement dû à l'évolution d'un gène d'origine assez récente, appelé FoxP2, parce que ses mutations endommagent gravement l'usage de la parole, mais il doit y en avoir d'autres.

Le langage humain est une activité très compliquée, et il s'est probablement développé par étapes, avec des ajouts importants. On ne sait quand il a commencé, mais il y a un fait, à mon avis décisif, qui nous fait croire qu'il est très ancien : l'anthropologue sud-africain Phillip Tobias, examinant les six crânes connus pour le paléolithique profond, a observé que, à la différence des autres primates, la moitié gauche est plus grande que la moitié droite. Nous savons que dans l'hémisphère gauche se trouvent les centres nerveux impliqués dans l'organisation et dans la production du langage, comme l'aire de Broca, et que les différences gauche-droite n'existent pas chez les singes. Nous pouvons déduire que ces crânes d'*Homo habilis* abritaient un cerveau déjà structuré linguistiquement.

Au cours de sa formation, les premières conquêtes essentielles de l'homme ont été la capacité de marcher debout et d'accomplir certains mouvements ; mais l'importance du langage n'a pas été moindre que celle des outils, et il n'est donc pas déraisonnable de penser qu'il est plutôt ancien. Il s'agissait probablement d'un langage grossier, vu que la plupart des animaux ne communiquent verbalement qu'avec des sons très limités – difficilement plus de quatre ou cinq au maximum –, car ils ont à leur disposition bien d'autres modes de communication. Des modes qui appartiennent encore au patrimoine humain : nous communiquons nos sentiments par le ton de la voix, mais aussi avec des expressions du visage ou des gestes. Les animaux, au fond, comprennent les choses importantes, et ils les font comprendre, à travers leurs expressions ; le langage est un ajout qui a demandé beaucoup d'innovations physiques, à commencer par le développement du larynx, qui permet de former la voix et de la moduler à notre guise. Nous utilisons un nombre de sons assez élevés, mais il se peut que, au début, la communication verbale ait été monosyllabique ou guère plus, et qu'ensuite, lentement, le discours se soit allongé.

Un autre fait qui induit à penser que le langage a été très important pour les hommes est qu'aujourd'hui nous recensons pas moins de 6 000 langues différentes. On parle de langages différents quand il n'y a pas compréhension réciproque entre personnes de langues différentes, sinon au moyen d'interprètes qui connaissent les deux langues. Toutefois, les langages des populations les plus primitives ont plus ou moins le même nombre de mots et les mêmes complications, les mêmes sons. Seule une population, les Bochimans, dispose, en plus des sons que nous avons tous, de sons produits avec la langue ou les lèvres, que l'on appelle des *clics* ; nous n'en utilisons qu'un, celui qui sert à faire trotter le cheval, tandis que les Bochimans ont cinq ou six clics différents, chacun avec un sens précis. Un de mes collègues d'Afrique du Sud, qui a été élevé par une nounou bochimane et qui a appris tous les clics, m'a dit que, pour apprendre vraiment à s'en servir, il faut disposer d'au moins deux ou trois ans, et qu'autrement c'est presque impossible.

La richesse du langage

Il y a un fait très important : nous perdons la capacité d'apprendre le langage très vite, vers l'âge de trois ou quatre ans. Si un enfant est tenu dans l'isolement et ne parle pas avant ses quatre ans, il n'apprendra jamais à parler correctement ; des centaines de cas de ce genre ont été étudiées. Il n'est naturellement pas vrai de dire que, après cet âge, il n'y a pas d'autres développements dans le langage – parce que le nombre est grand des mots que nous avons appris quand, avec la vieillesse, nous cessons d'être en mesure de parler bien et vite. Le *basic English*, une version simplifiée de la langue anglaise créée en 1930 par Charles Kay Ogden, montre que, avec un nombre minimal de 300 mots, on peut dire presque tout ; mais la plupart des gens en utilisent au moins 2 000. Certaines langues possèdent plus de mots que d'autres, mais même les langues les plus pauvres en comptent au moins 5 000. La langue qui a le plus de vocables est l'anglais, qui en a 500 000. L'italien en a autour de 100 000, même si récemment la technologie a fait augmenter énormément le nombre de mots que nous utilisons, qui sont entrés dans notre vocabulaire – des néologismes ou des termes étrangers, presque toujours anglais. Les Chinois utilisent 40 000 caractères écrits, qui sont l'équivalent de mots, mais la plupart des gens n'en utilisent pas plus de 10 000 – et la majorité, dans les faits, n'utilise pas même un millier de signes.

L'enrichissement progressif du langage humain représente une grosse différence par rapport aux autres animaux, de même que le fait que l'ordre des mots revêt une importance particulière. La syntaxe est une chose qu'on ne réussit pas à enseigner même aux singes, aux chimpanzés ; s'il s'agit de répéter toute une phrase, les perroquets sont très bons, à condition qu'on se limite à des phrases courtes.

En un certain sens, l'ordre des mots est peut-être la chose qui a le moins évolué : les différences entre les diverses langues existantes, au niveau de la syntaxe, sont moindres que les différences qui existent au niveau des sons et du vocabulaire. La perfection des organes impliqués dans l'apprentissage de notre langage, qui aujourd'hui est acquise par tous ceux qui naissent sans problème, quelle que soit leur langue et quelle que soit la partie du monde où ils naissent, fait que quiconque peut apprendre n'importe quelle langue. Il faut ensuite une bonne connaissance de la syntaxe, du moins pour les personnes qui sont allées assez longtemps à l'école : c'est un fait absolument fondamental.

Comme nous l'avons vu, la capacité de développer normalement le langage se perd après l'enfance, mais il y a un autre seuil, qui correspond à l'adolescence : après cette période de la vie, la plupart des gens perdent la capacité non pas tant d'apprendre que de prononcer une langue étrangère. Il y a beaucoup d'écrivains remarquables dans une langue qui n'est pas la leur ; mais, s'ils l'ont apprise à l'âge adulte, ils la parlent avec une mauvaise prononciation, à cause de facteurs physiologiques de la bouche.

L'expansion linguistique

Les vrais ancêtres de notre espèce étaient probablement un millier d'individus : c'était une tribu, vu qu'ils résidaient tous au même endroit et qu'ils parlaient la même langue. La plupart des linguistes ne se prononcent pas à ce sujet et, au contraire, ne considèrent simplement pas l'évolution linguistique avant l'écriture, parce qu'ils craignent de ne pas avoir de documents suffisants. Il y a cependant des linguistes plus flexibles. La grande expansion des chasseurs-cueilleurs a commencé avec une petite colonie qui sans aucun doute parlait une seule langue aussi aboutie que les nôtres aujourd'hui, parce que tous les descendants de cette colonie parlent des langues également évoluées, quoique différentes. Nous devons nous souvenir que les langues changent et évoluent très rapidement. Dante Alighieri nota que, en mille ans, la langue latine s'était transformée en langue italienne. Une autre complication est que beaucoup de langues ont été perdues parce qu'elles ont été complètement remplacées du fait d'événements politiques importants, qui ont porté de nouveaux maîtres à la tête de telle ou telle région.

Il y a 60 000 ans, nous avions déjà acquis un langage d'une richesse probablement comparable à celle du nôtre aujourd'hui, avec toutes les complications que nous connaissons, et qui s'apprennent avant l'adolescence. Pour nos ancêtres africains, ce fut sans aucun doute un des grands avantages qui leur permit d'occuper le monde entier en 50 000 ans. Le progrès qui vint ensuite fut permis par le passage à l'agriculture et à l'élevage, il y a 10 000 ans, en divers lieux : cela entraîna une différenciation importante à la fois des gènes et des langues. Vraisemblablement, des expansions majeures au cours de l'occupation du monde ont créé les superfamilles linguistiques qui commencent à être décrites toujours plus précisément. Elles se différencièrent à mesure que l'homme moderne s'étendait partout, mais la structure générale a été conservée, et la caractéristique intellectuellement la plus raffinée, la syntaxe, a moins changé que les sons et les sens des mots.

Il existe aujourd'hui presque 6 000 langues ; parmi elles, on trouve l'anglais, qui est parlé par plus d'un milliard d'individus dans quarante pays (c'est, pour beaucoup, une deuxième langue) ; et on trouve aussi des langues que parlent quelques centaines de locuteurs, qui seront mortes dans quelques générations ; il y a donc une très grande variation du nombre de locuteurs des diverses langues.

10

L'arbre des langues

Langues et gènes

Les linguistes ont réussi à identifier un grand nombre de familles et à établir les parentés entre certaines, mais beaucoup se refusent encore à remonter à une langue originelle unique. Ce refus tient en partie au fait que la grande majorité des linguistes préfère étudier une seule langue, ou quelques langues proches, tandis qu'un spécialiste de l'évolution linguistique est contraint d'en étudier beaucoup et de fort diverses. Il y a aussi un problème éthico-politique, et peut-être religieux : au XIXe siècle, l'Académie linguistique de Paris a établi la règle selon laquelle on ne devait pas étudier l'évolution des langues. On dirait que cette prohibition est restée actuelle pendant plus d'un siècle : il serait intéressant de connaître les conclusions d'un historien qui étudierait ce phénomène. Une explication possible est que les personnages les plus influents de l'Académie étaient très religieux et qu'ils craignaient, qui sait ?, que les études sur l'évolution des langues donnent raison à Darwin. En effet, dans *L'Origine des espèces*, Darwin écrit que l'évolution des langues, si on l'étudiait, se révélerait pratiquement identique à celle de l'homme. Il y a dans cette affirmation beaucoup de vérité, mais elle présente aussi quelques difficultés, parce que l'évolution des langues est plus rapide que l'évolution biologique ; on trouve souvent sur un laps de temps court des phénomènes de remplacements partiels, voire complets, d'une langue par une autre d'origine différente – en conséquence d'événements politiques, le plus souvent.

L'unité d'origine du langage

Un remarquable linguiste originaire de Bologne, Alfredo Trombetti, écrivit en 1903 un livre intitulé *L'Unité d'origine du langage*. Il fut décrié. Je suis sûr qu'il avait raison, et je dois dire qu'il y a d'autres éléments qui indiquent comme très probable que les langues parlées aujourd'hui ont une seule origine. Ceux qui me convainquent le plus sont les suivants : 1) tous les hommes vivant aujourd'hui peuvent apprendre aussi bien n'importe quelle langue existante, pourvu qu'ils l'apprennent dans les deux ou trois premières années de leur vie, qui sont la période critique pour l'apprentissage linguistique (au point que ceux qui n'apprennent aucune langue à cet âge ont de très graves difficultés pour en apprendre une après, et que, en règle générale, ils n'y arrivent pas, sinon de manière très imparfaite) ; 2) les hommes modernes sont tous originaires de groupes très petits qui ont commencé à se différencier il y a 100 000 ans ; il y a 60 000 ans existait une tribu d'environ mille individus dont descendent tous les hommes vivant aujourd'hui, excepté deux petits groupes de chasseurs africains qui se sont différenciés un peu avant ; 3) tous les membres de chaque tribu parlent encore, par définition, la même langue, et c'est particulièrement vrai et clair pour les rares tribus de chasseurs-cueilleurs existant encore ; 4) tous les membres de la première tribu ancestrale devaient, à des temps relativement récents – mais avant les dernières grandes migrations –, avoir déjà développé des organes vocaux et auditifs permettant un langage comparable à celui dont disposent aujourd'hui tous les hommes vivants ; cela a requis une longue évolution.

Classifications linguistiques

La meilleure classification universelle existant aujourd'hui est due à Merritt Ruhlen, de Stanford : elle fait apparaître à la fois la distribution géographique des principales familles et leur arborescence. Ruhlen est un élève de Joseph Greenberg – lui aussi de Stanford, et hélas récemment disparu – qui, au cours de sa longue vie, pleine de découvertes linguistiques importantes, a aussi produit une classification des langues africaines qui forment une famille unique, subdivisée en six ou sept sous-familles. Beaucoup plus tard, après un très long travail de récolte des données dans la bibliographie (des listes interminables de mots et leur traduction dans toutes les langues connues), Greenberg créa aussi une classification des langues amérindiennes, tout aussi révolutionnaire que l'autre. Les classifications créent de grandes discussions, parce que les spécialistes mettent de nombreuses années à se mettre d'accord. La classification des langues africaines de Greenberg est ancienne, et elle est largement acceptée, à de minuscules variations près, parce que beaucoup de temps a passé depuis la première publication. D'habitude, la première attaque des sceptiques contre la nouveauté ne dure pas longtemps, si la nouveauté est bonne ; mais il arrive souvent que des critiques soient reprises même après une longue période de large consensus. La classification des langues amérindiennes a été annoncée il y a quelques années et a rencontré de fortes résistances.

Une raison particulière des attaques tournées contre Greenberg est que les spécialistes de langues amérindiennes appartiennent plus ou moins tous à la même école, qui a le défaut de se limiter à créer des familles linguistiques petites et très homogènes, et donc nombreuses, et qui se refuse à accepter l'existence de familles englobant les sous-familles plus simples. Les spécialistes de cette école considèrent qu'un linguiste, au cours de sa vie, doit étudier une seule langue, et qu'il peut au maximum en apprendre deux. Il est évident qu'il est impossible de construire une classification importante avec de tels principes.

Pour donner des exemples, Greenberg a réuni les 1 500 langues amérindiennes en trois familles ; les autres américanistes, eux, jugent impossible de créer une classification qui compte moins de 64 familles ; mais les classifications qui recueillent le plus d'approbation en produisent 200 ou 300. Si l'on ne cherche pas à réunir ces petites familles en d'autres plus vastes, la classification est inutile. En réalité, derrière ces différences, il y a probablement aussi une variation psychologique entre individus intéressante : tout être humain peut être classé dans une des catégories appelées en anglais *lumper* et *splitter*. Je ne connais pas de bonne traduction de ces termes ; mon épouse m'a suggéré « agrégateur » et « séparateur » (peut-être que « subdiviseur » conviendrait mieux). Les américanistes des États-Unis sont presque tous des subdiviseurs.

La création de gros arbres génétiques et la classification qu'ils sous-tendent

C'est un peu par accident que, à un certain moment, j'ai commencé à m'occuper sérieusement d'origine et d'évolution des langues ; mais le cas est très important dans de très nombreux phénomènes – y compris l'évolution, à travers la mutation et la dérive génétique –, et il l'est aussi dans la recherche. Avec deux Italiens qui ont passé beaucoup de temps avec moi à Stanford, Paolo Menozzi de Parme et Alberto Piazza de Turin, nous avions achevé et publié en 1978 la recherche sur la diffusion géographique de l'agriculture en Europe et sa corrélation avec la diffusion génétique. Nous avons décidé ensuite d'étendre l'étude de l'histoire des diffusions humaines à l'espèce entière, sur la base de l'hypothèse suivante : le début des grandes diffusions partirait souvent d'une population réduite, qui aurait connu des innovations culturelles favorisant une croissance rapide.

Nous avons alors commencé à réunir des données génétiques déjà existantes dans la très vaste littérature sur les gènes chez environ 1 800 populations aborigènes étudiées génétiquement avec assez de détails. Nous avons déjà évoqué le fait que sont considérées comme aborigènes les populations qui étaient présentes dans le lieu où elles se trouvent aujourd'hui dès avant le début des grandes conquêtes coloniales européennes du reste du monde.

Pour cette recherche, nous avions besoin d'entrer dans l'ordinateur toutes les données génétiques disponibles sur un très grand nombre de populations, et il pouvait nous être très utile de disposer d'une liste des populations humaines classées par nom et par aire géographique. Les anthropologues n'en avaient jamais dressé une qui fût suffisamment riche ou complète ; les linguistes si. Le nom des populations et celui de la langue qu'elles parlent sont presque toujours identiques, si bien que la liste des langues existantes nous a fourni une liste géographique très utile.

Les 6 000 langues existantes, ou environ, furent classées au siècle dernier en familles et sous-familles. Une bonne partie des classifications avait déjà été formée ou recueillie par Ruhlen, quand nous avons commencé à utiliser la liste des langues, mais à cette époque l'analyse de la classification des langues était encore à un stade très primitif, et je ne pensai pas m'en servir, dans l'attente d'une autre plus sûre qui n'a été faite, toujours par Ruhlen, que très récemment.

En utilisant la liste des langues, notre objectif était seulement de disposer d'une organisation des données dans une liste ayant un sens géographique sûr. Après la publication dans les revues scientifiques des données génétiques, prélevées sur un nombre de populations bien plus grand que celui étudié précédemment, nous avons évalué les ressemblances entre les couples de populations aborigènes et nous avons créé des groupes génétiquement homogènes. À travers des étapes successives, nous avons réuni les 1 800 populations en groupes toujours plus petits, réduisant à chaque passage le nombre de groupes. L'arbre génétique – qui semblait de dimensions raisonnables : il ne remplit pas complètement une page – est montré sur la gauche de la figure 7 : il fait la liste de 38 groupes qui couvrent le monde. Il est publié par Cavalli-Sforza, Menozzi et Piazza dans *History and Geography of Human Genes* (Princeton University Press, 1994) et avait déjà été publié dans les *Proceedings of the National Academy of Sciences* en 1988.

Premières preuves de la correspondance entre classification génétique et classification linguistique

La première ramification de l'arbre génétique (à gauche sur la figure 7), la plus ancienne, sépare les six groupes africains subsahariens du reste du monde. Ce résultat a confirmé la première scission observée dans toutes les analyses de l'évolution génétique humaine des cinquante dernières années. Le premier groupe qui se sépare dans le groupe des six Africains est celui des San et des Éthiopiens, qui sont probablement la branche la plus ancienne. Tous deux vivent encore aujourd'hui dans la vallée du Grand Rift, qui va d'Éthiopie en Afrique du Sud. Les Pygmées forment la branche la plus proche. La même séquence a été trouvée en 2000 grâce à l'analyse avec le chromosome Y de sujets et de gènes assez divers, à part les Éthiopiens, qui n'ont pas été étudiés pour ce chromosome. Les trois autres groupes africains sont tous plus semblables entre eux ; ils se sont différenciés entre eux en dernier.

L'autre branche la plus vieille inclut le reste du monde, c'est-à-dire les non-Africains, et elle comprend deux branches de deuxième niveau. Celle qui est indiquée le plus en bas sur la figure est formée par des populations du Sud-Est asiatique et de toute l'Océanie, et elle peut correspondre à une fraction de la grande expansion à partir de l'Afrique, qui a eu lieu presque entièrement le long de la côte méridionale de l'Asie, peut-être la première qui a commencé par l'Afrique et qui a traversé la péninsule arabique. Mais cette population a été largement submergée en Asie de l'Ouest par une expansion un peu plus tardive, qui a commencé il y a peut-être 45 000 à 50 000 ans au Moyen-Orient, et qui est contenue dans l'autre moitié de la deuxième ramification. Cette dernière, située au centre de l'arbre, correspond presque exactement à la superfamille des langues nostratiques et inclut un peu plus de la moitié du monde, mais elle se divise rapidement en deux branches : l'une va en Europe, en Inde, en Afrique du Nord et en Asie du Sud-Ouest, et correspond approximativement aux langues indo-européennes, avec de rares ajouts (par exemple les langues dravidiennes, parlées dans le sud de l'Inde, ainsi que par au moins une population pakistanaise).

La deuxième branche va dans toute l'Asie du Nord et du Centre, y compris la Sibérie, et de là enfin en Amérique, où est l'ancêtre de tous les locuteurs des langues amérindiennes.

Les seules superfamilles fondées sur des données linguistiques connues à l'époque étaient la superfamille nostratique (dont une partie est appelée aujourd'hui Eurasie-Amérique) et la superfamille austrique, qui correspond bien elle aussi à l'arbre génétique. Ces deux superfamilles incluaient 28 des 38 populations, et il était donc raisonnable de penser qu'il y avait une forte corrélation entre arbre génétique et arbre linguistique. Une telle conclusion reposait sur le bon sens : la corrélation entre arbres requiert, entre autres, des méthodes statistiques qui n'existaient pas encore. Deux méthodes statistiques indépendantes proposées quelques années plus tard démontrèrent toutes les deux que la corrélation proposée par les

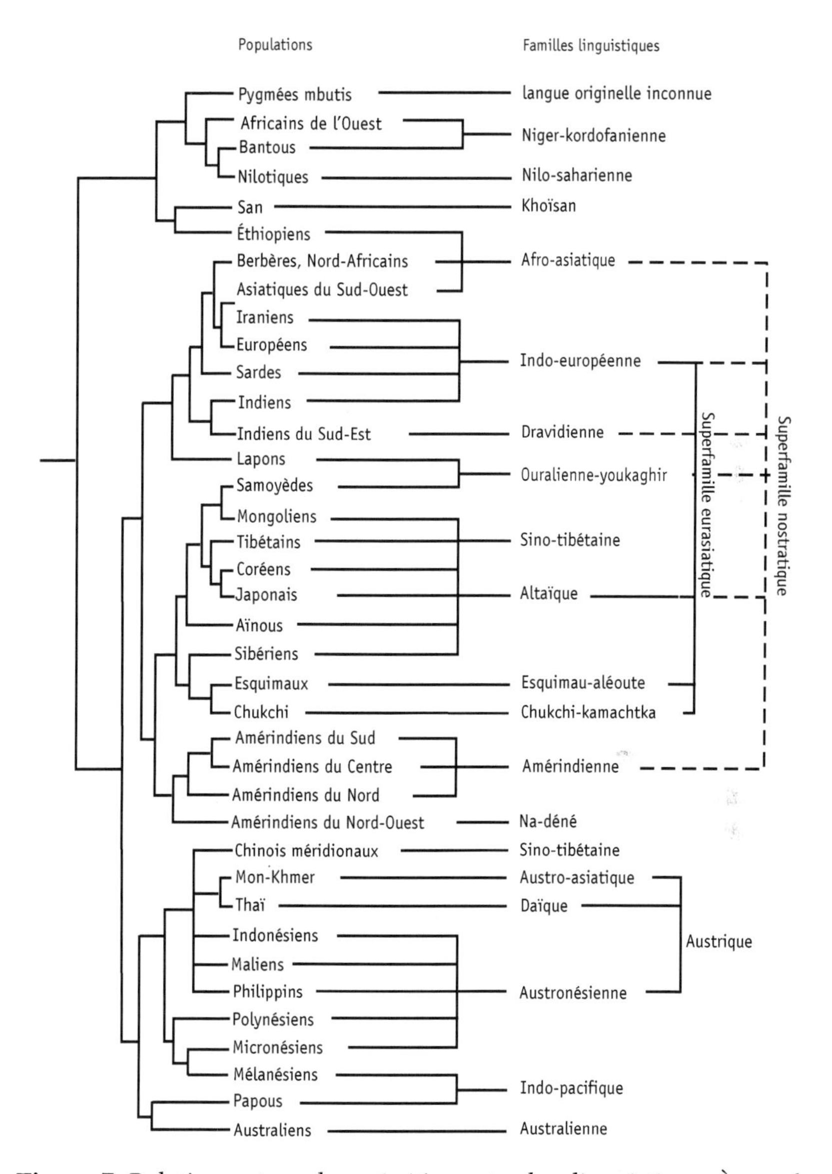

Figure 7. Relation entre arbre génétique et arbre linguistique. À gauche, l'arbre génétique des populations (Cavalli-Sforza, Menozzi, Piazza et Mountain, *Proceedings of the National Academy of Sciences*, 1988) ; l'arbre génétique élaboré en 2008 avec beaucoup plus de données et en utilisant l'ADN au lieu des protéines est très semblable à celui-là. À droite, l'arbre linguistique, composé de 21 familles et des superfamilles reconnues par Ruhlen à cette époque. La ressemblance entre les deux arbres est évidente et les enquêtes accomplies plus tard ont confirmé les concordances.

données du tableau est statistiquement significative. Cette affirmation implique que le résultat statistique en question – ici, la corrélation entre classification génétique et classification linguistique – est « statistiquement significatif ». Cela signifie que ce résultat a passé les tests statistiques standard que les théories scientifiques doivent réussir pour être acceptées.

La variation génétique et linguistique, et les races

Quand, à Stanford, en 2008, nous avons achevé une étude portant sur 650 000 nucléotides de 52 populations du monde entier recueillis par le HGDP (la récolte d'ADN dont nous avons déjà parlé), nous avons trouvé des résultats extrêmement semblables ; une preuve supplémentaire qu'ADN et protéines racontent la même histoire évolutive de notre espèce. Les deux arbres ont leurs vertus et leurs limites. L'arbre de 1988 est fait à partir d'un nombre limité de gènes (100 protéines), mais il est statistiquement valide. Le nombre très vaste de populations (1 800) assure une bonne couverture du monde. L'arbre de 2008 est fondé sur 6 000 fois plus d'unités génétiques d'ADN (nucléotides) et 36 fois moins de populations. Hélas, l'arbre du HGDP a quelques vides : l'Inde avait interdit l'exportation de tout matériau permettant de mener des études héréditaires ou des cultures de plantes, en raison d'abus d'entreprises productrices de semences, mais le Pakistan est très bien représenté, et il donne une bonne idée de l'Inde du Nord, dont, jusqu'à récemment, il faisait partie.

Les Aborigènes d'Australie furent pratiquement forcés par des agitateurs politiques à ne pas collaborer, mais ils l'auraient fait volontiers (ils sont très sympathiques). Il est difficile d'approcher les Amérindiens des États-Unis à cause de petits agitateurs locaux qui tiennent la science en haine. Il y a d'autres trous dans le HGDP, moins importants, dans d'autres parties du monde, mais tous les continents sont plus ou moins également représentés. L'étude de l'ADN a créé divers problèmes éthico-politiques aux États-Unis, mais les personnalités qui protestaient avaient toujours exploité les recherches sur l'ADN pour des intérêts peu intelligents ou peu recommandables. Par chance, en Europe et ailleurs, ce genre d'extrémisme assez peu éthique n'est pas apparu.

On peut se demander ce que nous dit cette analyse du problème des races humaines, qui occasionne de si grandes critiques politiques. Il dit la chose suivante : ce concept de race n'est pas applicable à la variation humaine, parce qu'il n'y a pas de discontinuité suffisante entre les caractéristiques biologiques des populations. Quand nous regardons les races de chiens, de chats ou de bovins, il est facile à l'expert de faire un diagnostic de race, parce que les races d'animaux domestiques sont typiquement homogènes par tous les caractères distinctifs sélectionnés par les éleveurs dans le but de créer l'unicité de chaque race, et sont toujours très bien reconnaissables. Au contraire, si l'on considère la variation génétique globale due à la diversité entre populations naturelles, exprimée comme fraction de la variabilité de l'espèce humaine entière, elle est seulement de 11 %, soit la plus faible connue chez les mammifères qui ont été examinés. Cette variation génétique est due aux forces spontanées qui ont causé l'évolution humaine et celle d'autres mammifères qui, étudiés dans la nature, présentent des différences entre leurs espèces supérieures à 11 %. Les temps d'évolution entre les populations humaines vivantes sont des centaines de fois plus brefs que ceux dans lesquels ces forces spontanées de la nature ont opéré parmi les autres mammifères, et expliquent facilement pourquoi la composante de toute la variation génétique de l'espèce humaine est aussi modeste.

Certains Européens particuliers

Si nous nous arrêtons un peu plus sur les Européens, nous voyons qu'ils présentent des ressemblances génétiques avec les gens du Moyen-Orient (Iraniens) et d'autres Asiatiques du Sud-Ouest, qui parlent tous des langues indo-européennes. Certaines différences marquées sont intéressantes : les Sardes sont les Italiens les plus différents du reste de l'Italie. Le peuple sarde est un des quatre *outliers* européens, c'est-à-dire une des quatre populations les plus différentes du reste des Européens (il semble qu'il n'y ait pas vraiment de traduction du mot *outlier* dans notre langue ; les statisticiens parlent de « donnée aberrante »). L'analyse des Sardes confirme une histoire faite de nombreuses arrivées en Sardaigne en provenance de diverses parties de la Méditerranée – histoire que confirme l'archéologie de cette région très riche en monuments mégalithiques : il y a plus de 6 000 nuraghes, et il en existait peut-être le double. Il s'agit de tours construites en des lieux qui offrent une bonne vision sur la mer, érigées assez près les unes des autres, à distance de vue réciproque. Ce devait être un système magnifique pour demander de l'aide et de la protection contre les pirates, déjà nombreux autour de 1500 avant notre ère. D'autres constructions clairement mégalithiques se trouvent dans diverses îles de la Méditerranée, ainsi que dans le nord-ouest de la France et en Angleterre : les dolmens, qui étaient probablement des tombes en pierre, les menhirs, monolithes verticaux plantés dans la terre, formant souvent des alignements, et d'autres encore.

Sur le plan de l'ancienneté, les plus fameux de ces *outliers* européens sont les Basques, qu'on peut considérer comme les descendants des premiers Européens arrivés d'Afrique, probablement à travers le Moyen-Orient, et parvenus à leur emplacement actuel il y a presque 40 000 ans. Ce peuple a su se préserver relativement des mélanges, comme le démontre aussi la conservation de sa langue, qui fut placée par le linguiste russe Sergueï Starostin dans la grande et très ancienne superfamille linguistique déné-caucasienne, qui comprend aujourd'hui, sous le nom d'Eurasie-Amérique, d'autres petits blocs du Caucase, et aussi des blocs qui ne sont pas petits – comme la nation indienne, la Chine et les langues na-déné d'Amérique du Nord. Les Basques développèrent vite une forte personnalité sociale et maintinrent longtemps leur indépendance.

Le plus célèbre poème en langue provençale célèbre la mort héroïque des paladins de France à Roncevaux, dans les Pyrénées occidentales basques. Les paladins de Charlemagne étaient ses meilleurs soldats. Il les avait envoyés comme une sorte d'escorte du trésor impérial, tandis que, la guerre d'Espagne étant achevée, il s'en retournait avec le gros des forces impériales. Il y a à Roncevaux un défilé qui n'est pas vraiment impressionnant, mais dont les parois sont abruptes. Les Basques y étaient chez eux. Ces humbles bergers parvinrent à bloquer les paladins et à remporter l'une des plus fameuses (et des plus rentables) batailles des temps anciens. Peut-être que les paladins furent déviés vers ces gorges par des guides qui savaient bien où ils étaient attendus par de solides bandes de Basques. Toutefois, ces *outliers* ne méritent certes pas le nom de « races ».

Il est intéressant de noter que les Basques sont, dans cette analyse, moins séparés que les Sardes du reste de l'Europe. Dans l'arbre génétique (Fig. 7), les Sardes ont été placés sur une branche différente, mais voisine de celle où se trouvent tous les autres Européens étudiés ; ils présentent des liens égaux avec les populations nord-africaines. Cela indique la forte « méditerranéité » des Sardes, ce qui, étant donné leur position géographique, ne surprend pas. Si les Basques sont restés sur le même arbre, génétiquement avec les Européens, à la différence des Sardes, c'est aussi parce qu'ils ne sont pas séparés territorialement du reste de l'Europe. Ils ont encore une forte cohésion politique qui les a tenus à l'écart y compris génétiquement, en réduisant les mariages avec les voisins. Au contraire, la situation des Sardes a permis des périodes de fort isolement génétique dû à leur position sur une île centrale de Méditerranée, mais ils ont pu recevoir des visites de voisins tout autour et présentent donc un ADN aux origines plus diversifiés.

À la différence des Sardes, la Corse voisine a eu beaucoup plus de contacts avec l'Italie et la France, et peu avec la Sardaigne toute proche. Les peuples « mégalithiques », responsables de monuments très importants dans toute l'Europe et aussi en dehors, devaient être de grands navigateurs, parce qu'ils fondèrent de nombreuses colonies, entre le IIIe et le IIe millénaire avant notre ère, toujours sur les côtes. Il est probable qu'ils avaient une constitution génétique commune, dont il peut être resté une trace dans l'ADN. Une analyse génétique des nombreuses populations vivant aujourd'hui dans des régions riches en monuments mégalithiques pourrait produire des résultats très intéressants. À l'heure actuelle, les études de l'ADN peuvent être menées bien plus facilement qu'autrefois, notamment parce qu'il n'y a plus besoin de sang comme avant : la salive suffit, et presque tout le monde est disposé à la donner sans difficulté. Il est dommage que l'analyse de larges fractions d'ADN soit encore si coûteuse ; mais, comme toutes les inventions importantes, son prix devrait descendre beaucoup et, espère-t-on, assez vite.

Langues et peuples africains les plus anciens

Parmi les observations les plus intéressantes de l'arbre génétique, on trouve celles qui concernent certaines dates plus anciennes : les Bochimans d'Afrique du Sud et une population éthiopienne présentent une certaine affinité qui a un intérêt notable pour l'histoire africaine. En effet, la première population qui a donné naissance à tous les hommes qui vivent aujourd'hui doit être partie de l'Éthiopie ou de cette région, et sa diffusion, comme nous l'avons déjà vu, est appelée la *grande expansion*. Elle a commencé il y a 60 000 ans à partir de l'Afrique orientale (date archéologique approximative). Avant cette date, au moins deux expansions mineures, limitées à l'Afrique, avaient dû se produire ; toutes deux étaient parties de la vallée du Rift, la riante région qui va de l'Éthiopie au Cap. Cette expansion, la plus ancienne (il y a 100 000 ans, par datation génétique), pourrait être partie vers le sud depuis l'Éthiopie ou une autre région voisine, et elle illustre un rapport ancien entre San (Bochimans) et Éthiopiens (ou plus exactement la petite population d'où est partie la grande expansion d'il y a 60 000 ans qui a peuplé le monde). Cet autre problème aussi est d'un grand intérêt : où vivait exactement cette petite population d'Afrique orientale qui nous a enfantés ? Et y a-t-il des descendants directs, près du lieu d'origine, qui est inconnu ?

La deuxième séparation au sein de l'Afrique, qui précède la grande expansion, fut celle des Pygmées africains, il y a 80 000 ans (datation génétique), qui se répandirent probablement depuis la moyenne vallée du Rift surtout vers l'ouest, dans la grande forêt tropicale où ils vivent encore. La taille des Pygmées nous permet de tracer leur répartition géographique actuelle, mais, hélas, la linguistique ne nous y aide pas, parce que les Pygmées ont abandonné leur langue (ou plutôt leurs langues) et adopté celles des agriculteurs bantous locaux, avec lesquels ils sont souvent dans un rapport de servitude. Il y a cependant une portion de leur vocabulaire qui est certainement unique : les noms des plantes, et en général des végétaux de la forêt. Ils ont quelques centaines de noms qui n'ont jamais été étudiés systématiquement, mais la recherche ne pourrait être menée que par les très rares botanistes qui ont une connaissance approfondie de la forêt tropicale et de leur milieu. L'impression du botaniste de Pavie Cesco Tommaselli, que j'ai accompagné dans une de mes nombreuses visites, fut que, chez les Pygmées, la connaissance de la taxinomie des espèces végétales est comparable et peut-être supérieure à celle d'un spécialiste moderne de taxinomie locale. Très probablement, on peut en dire autant pour leurs connaissances en écologie et en éthologie des animaux. On espère qu'un scientifique d'un pays développé s'intéressera aux connaissances scientifiques des Pygmées (y compris celles en matière de médecine traditionnelle) avant qu'il ne soit trop tard. La beauté de la forêt tropicale et la gentillesse des Pygmées à l'égard de leurs hôtes sont assurément d'autres grandes raisons de se sentir attiré par une telle recherche.

La grande expansion d'il y a 60 000 ans est partie d'une petite population de l'Est africain, et nous avons évoqué une petite trace d'elle, expliquée plus haut, dans la branche des Éthiopiens-San. Il serait très utile d'étudier plus de populations de l'Est africain, pour chercher à identifier des descendants directs, s'il en existe encore. De l'Afrique orientale, l'expansion s'est déroulée à peu près dans la même période selon les diverses branches. Une branche se dirigea vers le reste de l'Afrique, après ceux qui furent à l'origine des Khoï-san et des Pygmées, et alla peupler pratiquement toute l'Afrique subsaharienne. D'autres branches, plus ou moins contemporaines, se mirent en mouvement il y a 50 000 à 60 000 ans vers l'Asie, peut-être en descendant la vallée du Nil pour entrer au Moyen-Orient, d'où furent occupées l'Europe et l'Asie occidentale. L'arrivée des Basques, Protoeuropéens probables, dans la région située entre France et Espagne – qu'ils occupent toujours avec une petite population encore peu mêlée –, a été datée d'il y a environ 40 000 ans. La conquête de l'Asie du Sud, de l'Asie de l'Est et de l'Océanie pourrait être partie de l'Afrique vers la péninsule arabique, peut-être à travers le détroit de Bab-el-Mandeb, et longea probablement la côte sud-asiatique, et elle aurait atteint Océanie et Nouvelle-Guinée il y a environ 40 000 ans. L'Amérique fut occupée plus tard, à travers le détroit de Béring, par des Nord-Asiatiques d'origine probablement moyen-orientale, qui avaient déjà occupé la Sibérie.

Les divisions les plus vieilles de l'arbre génétique correspondent plutôt bien à la géographie, mais brisent les continents :

l'Afrique du Nord va avec l'Europe et l'Asie occidentale ; l'Asie orientale tend à se briser au Sud-Est et au Nord-Est, et le Sud-Est se lie avec l'Australie, tandis que le Nord-Est se lie avec l'Amérique. Il y a à cela une bonne raison : les communications par des voies marines pas trop longues ont souvent été plus efficaces que celles qui passent à travers des déserts ou des montagnes imperméables.

Arbre génétique et linguistique

L'arbre génétique (à gauche sur la figure 7) n'a été élaboré qu'à partir de données génétiques et n'a pas été influencé par la classification des langues : nous avons utilisé les noms des langues à de pures fins d'organisation initiale pour l'ordinateur. Cet arbre a servi pour la vérification, la validation et l'extension d'arbres réalisés avant, avec des données bien plus modestes en termes de quantité de populations, et il avait servi à regrouper les 1 800 populations dans les 38 groupes indiqués sur la figure. Quand l'analyse de l'arbre génétique fut presque achevée, je commençai à avoir la sensation qu'il pouvait y avoir une ressemblance entre l'organisation linguistique et l'organisation génétique. La classification linguistique était loin d'être complète quand s'approcha la date de publication de la recherche, mais je me sentis tenu de contrôler une corrélation possible entre histoire de gènes et histoire de langues.

En ce temps, le seul chercheur actif en matière de classification linguistique, ou presque le seul, était Merritt Ruhlen, à Stanford. Il me fit profiter très généreusement de son savoir sur les familles étudiées dans la bibliographie. Celles qu'accepte un bon nombre de linguistes – sauf le nostratique, un peu audacieux aux yeux de la plupart – étaient les 20 familles représentées à droite de l'arbre sur la figure 7. Il y avait cependant des indications suggérant que les trois familles du Sud-Est asiatique méritaient d'être réunies dans une seule superfamille, dite austrique ; et une importante recherche menée par de nombreux linguistes russes proposait une grosse superfamille qui fut baptisée nostratique (un nom à vrai dire un peu raciste, qui tomba ensuite dans l'oubli). Elle comprenait rien de moins que 9 des 20 familles de la figure 7, mais il y en avait aussi une version plus restreinte et clairement limitée à l'Europe et à l'Asie, si bien qu'il existait une fraction de la famille nostratique avec 6 familles, dite eurasiatique. Le fondateur de la famille nostratique mourut, mais la direction de la recherche fut reprise par son collègue Starostin, qui, hélas, nous a à son tour récemment quittés, mais pas avant d'avoir terminé des classifications plus importantes encore, qui ont contribué à créer l'arbre linguistique.

Nous avons donc publié le travail sur les ressemblances entre génétique, archéologie et linguistique en 1988 et en 1994, mais peu de linguistes s'y sont intéressés, excepté un groupe qui l'a attaqué en faisant de grossières erreurs. Par la suite, il y eut des interventions plus raisonnables, mais dans presque toute la science la séparation entre les disciplines est totale, et l'édit de Paris est peut-être encore influent sur beaucoup de linguistes, qu'ils le sachent ou non (certaines coutumes et certains préjugés ont une permanence remarquable).

Un de mes amis, Franco Scudo, qui a beaucoup étudié Darwin, m'a cité un passage du chapitre XIV de la deuxième édition de *L'Origine des espèces* : « Si nous connaissions l'arbre de l'évolution de l'homme, nous aurions aussi prévu celui des langues. » Typique de Darwin : une intuition formidable. Je me suis alors dit : eh bien, nous pouvons l'utiliser, ce postulat de Darwin. En effet, Ruhlen, après avoir créé la classification des langues la plus moderne, qui inclut une vingtaine de familles linguistiques, put les disposer sur un arbre en utilisant notre arbre génétique. Je reproduis ici la figure de son arbre (Fig. 8), né du postulat de Darwin, auquel j'ai ajouté les dates des séparations des familles linguistiques, suggérées par la combinaison entre génétique et archéologie. Les ressemblances entre les langues qui sont aujourd'hui appelées indo-européennes avaient été annoncées par un juge anglais résident à Calcutta, Sir William Jones, avant la fin du XVIIIe siècle. En étudiant le sanscrit, il se convainquit qu'il présentait de fortes ressemblances avec le grec et le latin, et il étendit cette idée à des langues européennes modernes.

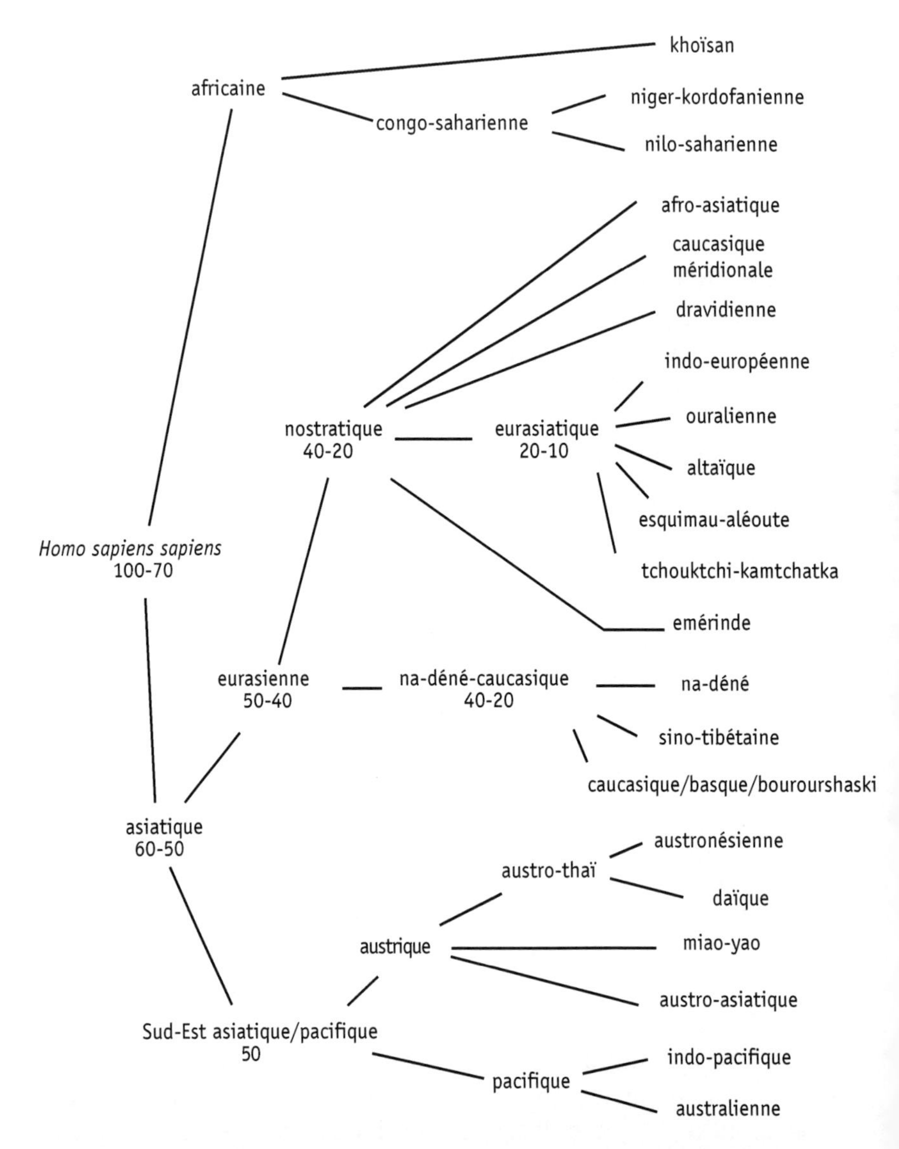

Figure 8. L'arbre généalogique des familles linguistiques proposé par Ruhlen, avec l'ajout des dates probables où ont eu lieu les séparations, calculées sur la base des données génétiques (en milliers d'années).

L'arbre de l'évolution des langues indo-européennes, fait par le linguiste allemand August Schleicher et publié en 1865, était un très beau travail ; en s'inspirant de concepts de la classification biologique, Schleicher pensa le langage comme un organisme vivant qui naît, qui grandit et qui meurt. Il fut alors clair que la théorie de Sir Jones était vraie, c'est-à-dire que toutes ces langues ont une origine commune : elles furent donc appelées langues indo-européennes et constituèrent la première famille linguistique. L'arbre de la famille indo-européenne de Schleicher est presque exact, bien qu'il n'eût pas à sa disposition les méthodes quantitatives, qui sont nées bien plus tard.

À Stanford, il y avait le plus fameux spécialiste d'évolution des langues, Joseph Greenberg, et son étudiant Merritt Ruhlen, qui ont écrit de très beaux livres ; comme je disais, j'ai eu la possibilité d'en discuter avec l'un et l'autre. Dans un livre de vulgarisation, Ruhlen donne des exemples simples de la manière dont se construisent des familles linguistiques fort distantes entre elles. Il choisit 20 ou 30 mots d'usage très général et les écrit sur un tableau où les lignes sont les mots et où les colonnes sont les langues. Dans ces exemples de mots très sélectionnés, il est très facile de comprendre quels mots reviennent dans les différentes langues, fût-ce avec de petits changements, et l'on peut, sur la base de ces observations, faire de simples comptages de ressemblances. Il existe aussi une règle concernant le choix de ces mots-clés : les mots qui présentent le plus facilement des ressemblances entre les langues, et qui sont donc parmi les plus utilisés, sont ceux qu'on apprend dans les premières années de vie. Il s'agit, généralement, de la façon de nommer les proches parents, les parties du corps et les nombres les plus petits. La dernière classification de Greenberg et Ruhlen comporte seize familles dans le monde entier (Fig. 9).

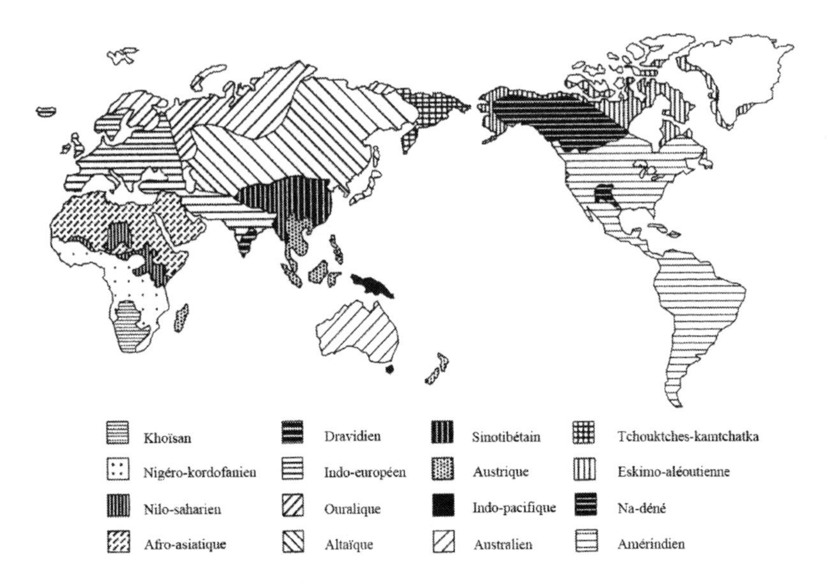

Figure 9. Les familles linguistiques identifiées par Ruhlen, distribuées géographiquement.

11

Le futur de l'homme

La disparition des derniers chasseurs-cueilleurs

L'homme, comme nous le dit justement la Bible, diffère de toutes les autres espèces ; mais l'explication de l'origine du monde et de l'homme qui nous vient de la Bible n'est pas compatible avec ce que nous disent les observations de toutes les sciences de la nature. Beaucoup de religions présentent des histoires différentes de l'origine du monde et de la vie, mais aucune ne donne d'explications complètes et claires sur le plan historique, dans un monde « sensible » comme celui où nous vivons, c'est-à-dire un monde que nous percevons à travers nos sens et nos simples raisonnements. La théorie de l'évolution nous convainc que l'homme est une des espèces parmi les millions et les millions de celles qui vivent sur Terre, et qu'il n'est pas même le dernier à être apparu, puisqu'il a commencé il y a 100 000 à 200 000 ans : depuis lors, bien d'autres espèces d'animaux et de plantes sont nées et sont mortes, particulièrement les petites, qui ont une vie plus brève. Nous avons un cerveau quatre fois plus grand que les singes qui sont les plus proches de nous, et cela nous a dotés d'une inventivité et d'un discernement supérieurs ; qualités qui, au reste, existent aussi chez les animaux, quoique dans une plus modeste mesure. La neurobiologie pourra nous enseigner beaucoup sur la façon dont nous percevons, dont nous formons les idées et dont nous les utilisons pour prendre des décisions pour notre bien-être (en théorie, en tout cas : en pratique, pas toujours).

Un autre produit fondamental des activités de notre cerveau, le langage, nous a énormément aidés à communiquer, c'est-à-dire à transmettre aux autres nos idées, nos observations et nos connaissances que nous percevons à travers nos sens, les conclusions auxquelles nous parvenons et les désirs que nous formons progressivement. Cela rend notre vie sociale beaucoup plus facile et plus importante, et, en pratique, plus nécessaire.

Notre plus grande expansion dans le monde, une réussite qui a commencé il y a 60 000 ans et s'est terminée il y a 10 000 ans, s'est déroulée avec une régularité impressionnante, parce que la tribu est-africaine qui l'a entamée avait atteint un modèle de société tribale assez efficace sur le plan socio-économique qui, au moins dans l'économie de chasse et de cueillette, put être conservé plus ou moins inchangé pendant toute l'expansion. Comme nous l'avons déjà vu, les rares sociétés qui vivent encore de nourriture naturelle en divers endroits du monde ont la même structure qu'à cette époque : elles maintiennent une organisation reposant sur l'égalité sociale et l'absence de chefs, elles ont une langue commune, leurs membres se marient surtout à des membres de la même tribu et elles comptent 500 à 1 000 individus.

Naturellement, les développements de l'économie mondiale finiront par faire disparaître les dernières de ces tribus, dont la survie est liée au maintien du territoire où elles vivent et qu'elles exploitent avec des méthodes traditionnelles. Ce sont en grande part des forêts, mais des chasseurs-cueilleurs comme les Eskimos ont survécu dans des régions où il n'y a pas d'arbres et où on construisait encore des iglous en 1960. Aujourd'hui, spécialement dans la partie la plus méridionale du territoire où vivent les Eskimos, le gouvernement canadien a construit des maisons et a institué un système d'assistance, il a défendu leur production artistique traditionnelle avec la construction de musées et en les encourageant de diverses manières. On ne voit pas clairement dans quelle mesure il est parvenu à améliorer la situation.

Ce qui est sûr, c'est que les nations les plus pauvres n'ont connu aucune amélioration de leur bien-être : un milliard d'hommes, de femmes et d'enfants ont faim par manque de nourriture. Il y a donc encore beaucoup à faire pour redistribuer justement la richesse créée ces derniers siècles. Quel standard de vie peut-on espérer atteindre ? Mes craintes et mes espoirs peuvent être regardés comme naïfs, et ils le sont peut-être en effet. Les hiérarchies sociales très fortes qui existent presque partout semblent incompatibles avec une distribution équitable de la richesse, et il semble même impossible de les faire évoluer dans un tel sens.

Bien des nations sont dirigées par des hommes politiques profondément égoïstes, qui s'intéressent uniquement à leur pouvoir ou à leur richesse personnelle et qui sont très habiles pour cacher leur égoïsme. Il vaut alors la peine d'étudier un peu ces communautés de chasseurs-cueilleurs qui vivent encore comme nos ancêtres, qui ignoraient, voire qui évitaient attentivement toute hiérarchie sociale. Peut-être est-il utile de regarder en arrière ; et l'anthropologie nous permet de le faire directement, si nous acceptons l'inconfort d'aller dans des régions isolées où il vit encore de ces hommes. Sur le papier, on peut proposer l'hypothèse selon laquelle les chasseurs-cueilleurs vivent dans des conditions semblables à celles qui ont fait naître la tradition de l'« âge d'or » : une époque précédente où l'on vivait en moyenne mieux qu'à l'époque présente.

Il est possible que ceux qui ont choisi de nommer ainsi un passé nullement connu soient simplement des *laudatores temporis acti*, des fanatiques du passé. Pourtant, les très rares chasseurs-cueilleurs encore vivants préféreraient sans aucun doute continuer à vivre comme autrefois, en résistant à l'avancée du progrès qui a détruit leur mode de vie. Et pourtant le reste du monde continue à le détruire, conquérant et éliminant toujours plus vite le milieu qui permet leur vie, surtout les forêts. En tout cas, la vie des chasseurs-cueilleurs est en réalité incompatible avec la reproduction humaine considérable créée par le progrès socio-économique.

Le progrès

Ce livre n'est pas une diatribe contre le progrès : ce serait une absurdité, spécialement pour un homme comme moi qui ai presque 90 ans et qui ai pu atteindre un âge avancé en bonne santé, du moins avec une santé plus que correcte : et c'est sans aucun doute un progrès dû au développement de la médecine ces cent cinquante dernières années, qui exploite les développements parfois plus anciens de la chimie et de la physique. La condamnation de la science – que l'on retrouve dans certaines religions qui pourraient pourtant être relativement avancées – n'a jamais considéré la raison pour laquelle ses défenseurs vivent plus longtemps que leurs ancêtres, et ces défenseurs devraient étudier l'histoire de la médecine. Aucun autre progrès observable ne dépasse celui du bien-être physique ; quant au bien-être « moral », entendu au sens le plus large, il dépend de beaucoup de facteurs, dont le bien-être physique est certainement le plus important (« quand la santé va... »). Je ne vais pas faire la liste des autres progrès, qui ont notoirement eu lieu, mais qui sont moins importants ; chacun leur donnera le poids qu'il veut.

Ce qui m'intéresse, c'est de continuer à discuter le rapport entre l'état de « félicité » des chasseurs-cueilleurs et leur mode de vie. Naturellement, il est impossible, en l'état actuel de nos connaissances, de démontrer qu'ils sont heureux, ou du moins plus heureux que nous. Toutefois, s'ils l'étaient, cela pourrait dépendre largement de l'absence totale de hiérarchie sociale parmi eux. L'absence du « sentiment de supériorité » et d'« infériorité », si communs dans nos sociétés, rend peut-être plus faciles la gentillesse et l'aide réciproque. Il ne serait alors peut-être pas si naïf de penser que leur âge fut un peu cet *âge d'or* décrit dans tant de religions et dans tant de traditions.

Peut-être que la plus ancienne trace d'âge d'or est racontée dans la Bible, où sont opérées des simplifications inacceptables de notre passé. Comme nous l'avons déjà vu, deux évêques anglais du XVIIe siècle calculèrent, sur la base de la Bible, la date où Dieu créa le monde : il y a un peu plus de 6 000 ans. Et beaucoup y croient encore. Selon la Bible, Adam et Ève vivaient au Paradis terrestre, d'où ils furent chassés en raison de leur erreur bien connue : avoir goûté au « fruit interdit » ; peut-être que le fait d'avoir cherché à augmenter leurs connaissances, en développant la science, leur a coûté à tous les deux l'immortalité. De leurs enfants, Caïn était un agriculteur, Abel un éleveur ; ils étaient donc déjà néolithiques. Dans la Bible, l'histoire des premiers jours et des premières années du monde est notoirement abrégée : il n'est donc pas du tout absurde (même si c'est un peu ridicule) de penser qu'Adam et Ève étaient des chasseurs-cueilleurs. Sans doute vivaient-ils, au début du moins, dans un bel endroit, dans des conditions acceptables pour un hypothétique « âge d'or ». Certes, il y avait le serpent qui leur coûta leur bonheur, mais qui était-il, en réalité ? Le désir de connaissance ? Aurait-il donc mieux valu retourner à un état d'ignorance totale ?

Sur la base des descriptions bibliques, il est très difficile d'établir où était le « Paradis terrestre », parce qu'il s'agit d'une zone très étendue. Plus utiles se révèlent les mentions sumériennes d'un jardin d'Éden très semblable, par divers détails, à celui de l'histoire biblique. On obtient une localisation un peu moins incertaine : il s'agirait du sud-ouest de la Perse. On n'a pas encore d'informations sûres, mais, au moins au Moyen-Orient et en Égypte, l'écriture a commencé il y a un peu plus de 5 000 ans, et il y a encore de précieuses bibliothèques peu étudiées, des documents anciens, rares mais bien datés, trouvés dans des fouilles récentes. Et si c'était la région, qui ne peut être très distante, où vivait cette fameuse petite tribu de chasseurs-cueilleurs qui a peuplé le monde en commençant il y a 60 000 ans ?

Si nous voulons poursuivre ce jeu archéologique, un âge d'or apparaît dans l'histoire grecque, qui ne nous permet de remonter que jusqu'à il y a un peu plus de 3 000 ans. Pour aller plus haut dans le temps, il faut recourir à l'étude de la mythologie grecque, à laquelle on peut attribuer une note de sérieux plutôt basse, sur le plan archéologique. Déjà en 700 avant notre ère apparaît, dans l'œuvre du poète Hésiode, une succession de dieux : Ouranos (le ciel) épouse Gaïa (la terre) et engendre Chronos (le temps), qui mangea tous ses enfants, parce qu'une prophétie disait que l'un d'entre eux le tuerait. Il y en eut un que Chronos ne parvint pas à tuer : Zeus, que son épouse sauva au moyen d'un stratagème. Zeus devint le chef de tous les dieux et le protecteur de la justice. Au temps de Chronos, les dieux avaient déjà créé les hommes, donne naissance à l'âge d'or : ils n'avaient pas besoin de travailler beaucoup, ils faisaient beaucoup de fêtes, ils ne vieillissaient pas, et après la mort ils devenaient des anges gardiens. Hésiode n'explique pas clairement pourquoi prit fin l'âge d'or et commença l'âge d'argent, durant lequel les hommes ne devenaient pas vraiment mûrs, et commençaient à être présomptueux et à ignorer les dieux. Zeus les supprima et les remplaça par les hommes de l'âge de bronze, violents, qui se détruisirent les uns les autres. Alors Zeus engendra les Héros, sur lesquels on n'a guère d'explications, mais qui sont les personnages de la mythologie grecque classique. Tout compte fait, nous avons peu de raisons de féliciter Zeus. Il est impossible de trouver beaucoup de rationalité dans cette histoire religieuse et poétique, sinon que sa séquence présente une vague ressemblance avec l'histoire archéologique : époque préagricole, époque agricole, époque des métaux, débuts de la civilisation grecque.

Beaucoup d'auteurs ont repris la séquence des âges d'Hésiode, et surtout de l'âge d'or, toujours décrit comme le plus ancien, le plus important parce que le seul qui représente une humanité heureuse. Platon (IVe siècle avant notre ère) décrit dans *Le Politique* le règne de Chronos comme fondé sur la justice, la paix et l'absence de hiérarchies. Au Ier siècle avant notre ère, des poètes comme Lucrèce, Ovide et Virgile, des historiens comme Tacite et des philosophes comme Sénèque utilisaient l'idée d'âge d'or pour désigner une époque de vie et de coutumes très désirables, et perdues. Dans les *Géorgiques* (I, 125), Virgile dit explicitement que, à l'époque précédant celle de Jupiter, les champs n'étaient pas cultivés (*ante Jovem nulli subigebant arva coloni*) et que le travail des champs est très dur (*labor improbus*).

Y a-t-il un espoir de revenir à l'âge d'or ?

Il n'y en a naturellement pas, du moins sur Terre. Alors pourquoi en parler, sinon par fantaisie historique ? Je dois changer de sujet un instant pour raconter la chose suivante : j'ai remarqué, avec la vieillesse, que le matin, dans mon lit, à moitié endormi, j'ai des idées nouvelles, qui ne sont pas mauvaises. Cela semble incroyable, mais elles sont plus fréquentes qu'autrefois. J'en ai parlé avec Rita Levi Montalcini, la fameuse neurobiologiste, pour voir si la chose l'étonnait. Elle m'a dit qu'il lui arrive la même chose. Je raconterai alors l'idée qui m'est venue à l'esprit cette nuit.

Nous savons qu'aujourd'hui un grand problème de l'espèce humaine est que nous sommes trop nombreux et que nous nous reproduisons trop ; si nous remplissons la Terre sans tenir compte des ressources disponibles ou qui peuvent croître facilement sans sacrifices excessifs, il deviendra impossible d'émigrer en quelque autre lieu de notre planète, comme l'homme a pu le faire jusqu'à présent. Où pourrons-nous émigrer alors ?

Je dois signaler que l'idée m'est venue grâce à un livre écrit il y a plus de quarante ans par le professeur de mon fils, quand il était à Princeton ; il s'appelle Gerard K. O'Neill et c'était un physicien très intelligent, responsable de la construction d'importants appareils de physique. L'hypothèse développée dans *Colonies humaines dans l'espace*, écrit en 1974, permettrait de quitter la Terre d'une manière particulière, sans devoir aller sur une autre planète – parce que, hélas, il n'y a aucune autre planète où aller vivre, du moins sur la base des observations disponibles aujourd'hui, et l'étoile la plus proche de nous se trouve à quatre années-lumière. Du moment que nous ne pouvons espérer voyager aussi rapidement que la lumière, si nous voulons aller vraiment dans un endroit hors de la Terre, nous devons nous contenter du système solaire. Pour le moment, il n'y a aucun lieu où nous pourrons vivre, sinon en créant des milieux artificiels très différents du nôtre.

Il s'agirait donc de construire des plates-formes orbitales autour de la Terre (ou de la Lune, ou d'une autre planète), où il serait possible de faire pousser la nourriture nécessaire pour maintenir indéfiniment quelques centaines ou au plus quelques milliers de personnes, en utilisant à cette fin l'énergie solaire. Ces unités devraient être dotées de navettes qui pourraient transporter un petit groupe d'individus depuis la Terre et vers la Terre, ou même vers une autre plate-forme tournant autour de la même planète. La proposition originale a été conçue pour des plates-formes de centaines et plus tard de milliers de personnes.

L'expérience de la vie sur la Terre il y a 10 000 à 60 000 ans, c'est-à-dire avant l'agriculture, montre que ce système social a bien fonctionné pour des milliers de tribus de chasseurs-cueilleurs, à condition de réussir à maintenir un nombre d'habitants assez constant. Même dans la fantaisie d'O'Neill, le « territoire » disponible pour chacune de ces plates-formes orbitales aurait des ressources limitées, surtout à cause du peu d'espace où l'on pourrait produire la nourriture.

Comme il arrive souvent aux États-Unis, cette idée a suscité de l'enthousiasme et même des tentatives de recherche de financements pour commencer à construire des plates-formes orbitales. Une de ces tentatives est racontée dans un article très récent d'une revue sur l'espace.

Il sera difficile d'exporter ainsi l'excès de population que l'on produit sur Terre, mais on peut espérer que quelques tentatives seront faites et que l'on pourra observer si ce retour aux dimensions tribales des sociétés humaines améliore le degré de bonheur, en réduisant ou en annulant les hiérarchies sociales. Dans ces petites sociétés, il n'y aurait pas besoin de chefs charismatiques capables d'envoûter des millions d'individus, comme cela est arrivé dans l'histoire des derniers millénaires à tant de reprises, expériences se révèlant chaque fois profondément négatives. Dans les plates-formes orbitales, il n'y aurait nul besoin de chefs, mais seulement, éventuellement, de spécialistes, pour des devoirs qui réclament une spécialisation élevée, mais toujours dans des limites de population très modestes. Exactement comme chez les chasseurs-cueilleurs, les personnes qui se rendraient indésirables auprès d'un groupe pourraient être chassées et devraient se faire accepter dans une autre plate-forme – ou sur la vieille Terre. Ou bien, chose qui n'arrivait pas chez les chasseurs-cueilleurs, on pourrait les congeler de manière temporaire ; une solution qui ne saurait être répétée à trop de reprises. En cas d'échec complet et répété, ils pourraient enfin être recyclés partiellement ou totalement.

La proposition pourrait sembler totalement ridicule et absurde, si l'existence de milliers de tribus selon un modèle unique n'avait bien fonctionné pendant 50 000 ans et n'avait cessé de fonctionner que quand un grand nombre de tribus avaient perdu le contrôle de leur propre croissance numérique. Au début elles sont parvenues à créer plus de nourriture grâce à la culture des plantes et à l'élevage des animaux, soit leur nourriture normale, mais qui se trouvait en quantité limitée. Sur des plates-formes orbitales, les naissances devraient être totalement contrôlées. Il serait fondamental de maintenir une seule langue universelle, parce que la création de « nations » linguistiques entraînerait peut-être inévitablement des guerres de dimension croissante, tout comme cela s'est produit après l'invention des métaux et la domestication du cheval, il y a environ 5 000 ans.

Je ne voudrais pas que tout cela soit lu comme une prévision ou une prophétie. C'est seulement une espérance naïve, fondée sur l'idée que, affectivement, nous préférons vivre dans un groupe social assez petit, où nous nous connaissons tous plutôt bien et où nous sommes contents de vivre les uns avec les autres.

Souvent nous avons beaucoup plus besoin de communiquer, pour des raisons professionnelles ou autres, avec un groupe large : mais on pourrait toujours le faire par e-mail et, dans le futur, de manière encore plus efficace en audio et en vidéo, même en vivant sur des plates-formes orbitales différentes. Toutefois, ce qui est vraiment nécessaire, c'est de ne pas être étouffé par le charisme de politiques qui ont besoin de se sentir puissants. J'ai pu apprécier combien c'est possible quand j'ai vécu longuement dans deux pays que je considère comme fort civilisés, les États-Unis et la Grande-Bretagne. Certes, les États-Unis n'ont pas remporté un succès complet, mais pendant plus de deux cents ans ils ont été la nation la plus proche de l'idéal consistant à se donner des chefs de valeur, à côté d'autres, de moindre valeur, dont il est possible de se défaire sans trop souffrir.

La Grande-Bretagne a, au contraire, démontré qu'il est possible de se défaire d'un chef, s'il devient une présence trop encombrante : à la fin de la guerre qu'avait gagnée Winston Churchill, le célèbre homme d'État fut envoyé à la campagne. La Grande-Bretagne a réalisé un progrès sociopolitique notable, en satisfaisant le besoin que ressent une partie importante de toute nation : pouvoir adorer publiquement des chefs. Et ainsi elle a sauvegardé une figure politique inoffensive, la famille royale. C'est un apparat coûteux, mais elle ne met jamais en danger toute la nation, et en plus elle est habituée à fonctionner comme une ancre psychologique et sentimentale dans des moments particuliers où l'on peut avoir besoin d'elle.

Tyrannie du progrès

Le plus grand danger, pour notre Terre telle qu'elle est aujourd'hui, est surtout qu'une petite nation de deuxième ordre parvienne à construire en cachette des bombes atomiques et les fasse exploser par haine d'une autre nation tyrannique, créant ainsi une notable augmentation de radioactivité sur toute la Terre. La limite de radioactivité compatible avec la continuation de notre espèce est plutôt basse. En toute probabilité – si les services d'information fonctionnent bien –, les installations atomiques de la petite nation déséquilibrée seront détruites, si possible avec des armes non radioactives, avant que toute la population mondiale ne meure par excès de radiation. Nous nous sommes déjà trouvés devant ce danger quand deux grandes nations, l'Union soviétique et les États-Unis, ont commencé une folle prolifération d'armes nucléaires, sitôt après la dernière grande guerre.

Il y a aussi des erreurs imprévisibles, comme quand, il y a très longtemps, un pilote américain qui transportait une bombe atomique fut, à en croire les informations publiées sur les journaux américains en ces temps difficiles, frappé par une attaque de folie pendant qu'il était en vol ; mais il n'était sans doute pas le seul homme à bord, et l'on parvint à le neutraliser.

Il existe aujourd'hui de petites nations dont les chefs politiques peuvent être réellement dangereux, parce qu'ils semblent avoir vraiment l'intention de développer des armes atomiques : ils font semblant de ne pas le faire, mais ils veulent jouir de la reconnaissance et de la puissance que leur donnerait la peur induite par la menace de leurs folies. Par chance, les probabilités de ces événements ne sont pas hautes, et pour le moment nous pouvons laisser ces angoisses aux chefs des nations puissantes, qui sont peut-être en mesure de faire disparaître ces dangers avant qu'ils n'atteignent un niveau préoccupant.

On pourra se demander pourquoi, dans les pages qui précèdent, nous avons plusieurs fois qualifié l'espèce humaine de tyrannique – mais ne suffit-il pas de lire les journaux tous les jours pour se convaincre qu'elle l'est ?

Bibliographie sélective

Vulgarisation

L. L. Cavalli-Sforza, *Il Caso e la Necessità. Ragioni e limiti della diversità genetica*, Rome, Di Renzo Editore, 2007.

L. L. Cavalli-Sforza et F. Cavalli-Sforza, *Perché la scienza ? L'avventura di un ricercatore*, Milan, Mondadori, 2005 ; traduction française *La Génétique des populations. Histoire d'une découverte*, Paris, Odile Jacob, 2008.

L. L. Cavalli-Sforza, *Geni, Popoli e Lingue*, Milan, Adelphi, 1996 ; édition anglaise *Genes, Peoples and Languages*, première édition New York, Farrar, Straus and Giroux, 1998 ; traduction française *Gènes, Peuples et Langues*, Paris, Odile Jacob, 1996.

F. Cavalli-Sforza, L. L. Cavalli-Sforza, *La Scienza della felicità*, Milan, Mondadori, 1997, traduction française *La Science du bonheur. Les raisons et les valeurs de notre vie*, Paris, Odile Jacob, 1998.

L. L. Cavalli-Sforza, F. Cavalli-Sforza, *Chi siamo : la storia della diversità umana*, Milan, Mondadori, 1993 ; traduction française *Qui sommes-nous ? Une histoire de la diversité humaine*, Paris, Albin Michel, 1994.

Publications scientifiques

L. L. Cavalli-Sforza, *L'Evoluzione della cultura*, Turin, Codice edizioni, 2004, traduction française *Évolution biologique, évolution culturelle*, Paris, Odile Jacob, 2005.

L. L. Cavalli-Sforza, A. Moroni, G. Zei, *Consanguinity, Inbreeding, and Genetic Drift in Italy*, Princeton, Princeton University Press, 2004.

L. L. Cavalli-Sforza, F. Cavalli-Sforza, *Natura*, Milan, Edumond, 2003.

L. L. Cavalli-Sforza, P. Menozzi, A. Piazza, *The History and Geography of Human Genes*, Princeton, Princeton University Press, 1994 ; édition italienne *Storia e geografia dei geni umani*, Milan, Adelphi, 1997.

A. J. Ammerman, L. L. Cavalli-Sforza, *La Transizione neolitica e la genetica di popolazione in Europa*, Turin, Boringhieri, 1986.

L. L. Cavalli-Sforza dir., *African Pygmies*, Orlando, Academic Press, 1986.

L. L. Cavalli-Sforza, M. W. Feldman, *Cultural Transmission. Evolution : A Quantitative Approach*, Princeton, Princeton University Press, 1981.

W. F. Bodmer, L. L. Cavalli-Sforza, *Genetics, Evolution, and Man*, San Francisco, W. H. Freeman, 1976. Première édition italienne : *Genetica, Evoluzione, Uomo*, Milan, Mondadori, 1977.

L. L. Cavalli-Sforza, *Introduzione alla genetica umana*, Milan, Mondadori Est, 1974.

L. L. Cavalli-Sforza, W. F. Bodmer, *The Genetics of Human Populations*, San Francisco, W. H. Freeman, 1971.

L. L. Cavalli-Sforza, *Analisi statistica per medici e biologi*, Turin, Boringhieri, 1950 ; 3e édition Turin, Bollati-Boringhieri, 1992.

A. Buzzati-Traverso, L. L. Cavalli-Sforza, *Teoria dell'urto ed unità biologiche elementari*, Milan, Longanesi & C., 1948.

Biographie

P. F. Lurquin, L. Stone, *A Genetic and Cultural Odyssey. The Life and Work of L. L. Cavalli-Sforza*, New York, Columbia University Press, 2005.

Table

DU MÊME AUTEUR
CHEZ ODILE JACOB

La Génétique des populations. Histoire d'une découverte (avec Francesco Cavalli-Sforza), 2008.

Évolution biologique, évolution culturelle, 2005.

La Science du bonheur. Les raisons et les valeurs de notre vie (avec Francesco Cavalli-Sforza), 1998.

Gènes, Peuples et Langues, 1995.

Cet ouvrage a été transcodé et mis en pages
chez Nord Compo (Villeneuve-d'Ascq)

N° d'impression :
N° d'édition : 7381-2689-X
Dépôt légal : septembre 2011

Imprimé en France

Imprimé en France
FROC020806060720
24449FR00021B/248

9 782738 126894